CB066010

O Livro de Mirdad

O Livro de Mirdad

UM FAROL E UM REFÚGIO

MIKHAIL NAIMY

7ª EDIÇÃO
2014

Pentagrama
publicações

Copyright © sucessão Mikhail Naimy - 1962

Título original:
THE BOOK OF MIRDAD
A LIGHTHOUSE AND A HAVEN

PRIMEIRA PUBLICAÇÃO NO LÍBANO POR SADER EM 1948
PRIMEIRA PUBLICAÇÃO NA ÍNDIA POR N.M.TRIPATHI LTD EM 1954
PRIMEIRA PUBLICAÇÃO NA GRÃ-BRETANHA POR STUART & WATKINS LTD EM 1962

7ª EDIÇÃO BRASILEIRA REVISADA - 2014
1ª REIMPRESSÃO: 2016
2ª REIMPRESSÃO: 2017
3ª REIMPRESSÃO: 2019
4ª REIMPRESSÃO: 2020
5ª REIMPRESSÃO: 2021
6ª REIMPRESSÃO: 2022
7ª REIMPRESSÃO: 2023
8ª REIMPRESSÃO: 2025

IMPRESSO NO BRASIL

Dados Internacionais de Catalogação na Publicação (CIP)
(Câmara Brasileira do Livro, SP, Brasil)

Naimy, Mikhaïl, 1889-1988.
O livro de Mirdad : um farol e um refúgio /
Mikhaïl Naimy ; [traduzido por Equipe de
tradutores do Lectorium Rosicrucianum]. –
7. ed. – Jarinu, SP : Pentagrama Publicações,
2014.

Título original: *The book of Mirdad :
a lighthouse and a haven*

ISBN 978-85-67992-14-3

1. Espiritualidade 2. Ficção 3. Rosacrucianismo
4. Sabedoria (Gnosticismo) I. Título.

14-06507   CDD-299.932

Índices para catálogo sistemático:
1. Sabedoria universal : Gnosticismo : Religião
299.932

Todos os direitos desta edição reservados a
PENTAGRAMA PUBLICAÇÕES
Caixa Postal 39 – 13.240-000 – Jarinu – SP – Brasil
Tel. (11) 4016.1817 – FAX (11) 4016.3405
www.pentagrama.org.br
livros@pentagrama.org.br

Sumário

Prefácio	9
Do prefácio da primeira edição inglesa	11
Carta de Nadeem Naimy	13
Prefácio de Antonio Lazaro	19
O Abade Prisioneiro	27
A Escarpa Rochosa	35
O Guardião do Livro	47
I. Mirdad revela-se e fala de Véus e Selos	67
II. Do Verbo Criador. O *Eu* é a Fonte e o Centro de todas as coisas	71
III. O Trino Santo e a Balança Perfeita	77
IV. O Homem é um Deus Envolto em Faixas	79
V. De Cadinhos e de Peneiras. O Verbo de Deus e o do Homem	81
VI. Do Mestre e do Servo. Os companheiros dão sua opinião sobre Mirdad	87
VII. Micayon e Naronda Confabulam à noite com Mirdad e este os avisa do Dilúvio que está para vir, rogando-lhes que estejam Preparados	91
VIII. Os Sete buscam Mirdad no Ninho da Águia onde ele os adverte de nada fazerem no escuro	97

IX. O caminho para a Vida sem Sofrimento. Os companheiros querem saber se Mirdad é o Clandestino   103

X. Do Julgamento e do Dia do Juízo   105

XI. O Amor é a Lei de Deus. Mirdad adivinha uma animosidade entre dois companheiros, pede a harpa e canta o hino da Nova Arca   111

XII. Do Silêncio Criador. O falar é, na melhor das hipóteses, uma mentira honesta   119

XIII. Da Oração   123

XIV. Colóquio entre dois Arcanjos e Colóquio entre dois Arquidemônios por ocasião do nascimento atemporal do Homem na eternidade   131

XV. Shamadam faz um esforço para expulsar Mirdad da Arca. O Mestre fala a respeito de insultar e ser insultado e de abarcar o Mundo na Sagrada Compreensão   137

XVI. De Credores e de Devedores. Que é o Dinheiro? Rustidion é perdoado de sua Dívida para com a Arca   143

XVII. Shamadam recorre ao Suborno em sua luta contra Mirdad   149

XVIII. Mirdad adivinha a morte do Pai de Himbal e as circunstâncias em que se dera. Ele fala da Morte. O Tempo é o maior Prestidigitador. A Roda do Tempo, seu Aro e seu Eixo   151

XIX.	Lógica e Fé. Autonegação é autoafirmação. Como deter a Roda do Tempo. Chorar e Rir	159
XX.	Para onde iremos depois que morrermos? Do Arrependimento.	163
XXI.	A Sagrada Onivontade. Por que as coisas acontecem como acontecem e quando elas acontecem	167
XXII.	Mirdad alivia Zamora de seu Segredo e fala do Homem e da Mulher, do Casamento, do Celibato e do Vitorioso	173
XXIII.	Mirdad cura Sim-Sim e fala da Velhice	181
XXIV.	É lícito matar para comer?	187
XXV.	O Dia da Vinha e sua Preparação. Mirdad desaparece na véspera	193
XXVI.	Mirdad fala do Dia da Vinha aos Peregrinos e liberta a Arca de alguns pesos mortos	197
XXVII.	A Verdade deveria ser pregada a todos ou somente aos Poucos Eleitos? Mirdad revela o Segredo de seu desaparecimento na véspera do Dia da Vinha e fala da Autoridade Forjada	209
XXVIII.	O Príncipe de Bethar aparece com Shamadam no Ninho da Águia. O Colóquio entre o Príncipe e Mirdad sobre de Guerra e Paz. Mirdad é emboscado por Shamadam	215

XXIX.	Shamadam, em vão, tenta reconquistar os Companheiros. Mirdad retorna milagrosamente e dá a todos os Companheiros, exceto a Shamadam, o Beijo da Fé	225
XXX.	O Sonho de Micayon revelado pelo Mestre	235
XXXI.	A Grande Nostalgia	241
XXXII.	Do Pecado e o desvencilhar-se dos Aventais de Folha de Figueira	247
XXXIII.	Da Noite – a Cantora Incomparável	257
XXXIV.	Do Ovo-Mãe	267
XXXV.	Centelhas no Caminho que conduz a Deus	275
XXXVI.	O Dia da Arca e seus Rituais. A Mensagem do Príncipe de Bethar a respeito da Lâmpada Viva	283
XXXVII.	O Mestre adverte a Multidão sobre o Dilúvio de Fogo e Sangue, aponta o Caminho de Fuga e lança sua Arca	289

Prefácio

Lendas são histórias contadas pelas batidas do coração. Ao emprestar seu ritmo à inspiração, ele nos eleva para além da razão humana, para um local onde se encontram livros como o de Mirdad.

Suas páginas brotaram do Livro do Gênesis, flutuaram na imaginação de Naimy até que aportaram em nossa vida em 1948, data de sua primeira edição. Incontáveis foram os leitores que, ao serem tocados em seu íntimo por essa história, se viram arrebatados para o alto do Pico do Altar, esse lugar mágico onde o tempo é o eterno presente.

Quando assumimos a tarefa de revisá-lo, nós, como editores, sentimos de modo marcante o peso da responsabilidade. Como traduzir palavras que afluem do coração e deixam a mente ofegante no afã de perseguir seus significados? Como encontrar espaços semânticos equivalentes entre expressões pertencentes a idiomas de temperamentos tão distintos como o inglês e o português? Ou ainda, até que ponto privilegiar a eufonia em detrimento de uma miríade de sentidos que orbitam uma palavra?

A decisão unânime foi sermos fiéis, tanto quanto possível, à forma e ao conteúdo da versão inglesa, visto que os dois andam de mãos dadas neste livro. Portanto, as maiúsculas, minúsculas, itálicas e versaletes foram compostas respeitando a concepção original. Ponderamos a valência de cada palavra, verificamos seu étimo, seus paradigmas e flexões, sempre almejando resgatar a força vital que pulsa nesse texto.

Valeu realmente a pena, pois acreditamos que *O Livro de Mirdad* foi publicado para que possa dar, a cada página, testemunho de sua vocação inequívoca: ser farol para todos os que se sentem perdidos no mar da vida e estão em busca de um porto seguro.

Os editores

Do prefácio da primeira edição inglesa

Uma das mais antigas e conceituadas empresas editoriais de Londres, à qual foi entregue, em primeiro lugar, o manuscrito deste livro, enviou a Mikhail Naimy uma carta na qual dizia o seguinte:

"Desde que V. Sª. nos enviou o manuscrito de *O Livro de Mirdad*, temos recebido cuidadosos relatórios sobre ele da parte de nossos consultores literários e, embora, naturalmente, suas opiniões sejam confidenciais, podemos dizer-lhe de sua admiração pela sinceridade e devoção expressas na obra. Eles, porém, ressalvam que este livro representa tal modificação do dogma cristão comum que, poder-se-ia dizer, seria necessário fundar uma nova igreja no mundo de língua inglesa para que houvesse a possibilidade de vendê-lo em quantidade que compensasse sua publicação."

Citamos agora parte da resposta de Mikhail Naimy:
"É absolutamente verdadeiro que o livro se desvia do dogma cristão comum. Desvia-se também de todos os dogmas estabelecidos, sejam eles religiosos, filosóficos, políticos

ou de qualquer espécie. E por que há de ser um dogma assim tão sagrado e imutável? Poderá, algum dia, a verdade ser encerrada em determinadas palavras e em nenhuma outra? A verdade está em um único caminho? É exatamente nisso que está a razão de ser deste livro: revelar novas abordagens dos eternos problemas da existência. Caso ele não passasse de uma simples variante ou confirmação de uma crença ou de um sistema qualquer de pensamento estabelecido, eu não me teria dado ao trabalho de escrevê-lo. Embora concebido e escrito em inglês, ele não se destina exclusivamente ao público de língua inglesa, nem pretende causar um "choque" ou "alarme" aos fiéis de qualquer crença, mas sacudir e despertar a humanidade que se acha entregue à letargia dogmática, prenhe de ódio, luta e caos."

Beirute, 1948.

Carta de Nadeem Naimy[1]

Mikhail Naimy nasceu em 17 de outubro de 1889, em Baskinta, uma aldeia no Líbano central, no sopé da montanha Sannine, a 1500 m de altitude, de onde se pode avistar o lado oriental do Mar Morto. Ele era o terceiro filho de uma família greco-ortodoxa simples, de cinco filhos e uma filha.

Após o ensino fundamental em Baskinta, numa das muitas escolas missionárias que foram erigidas nessa região pela Sociedade Real Russo-Palestina, ele ingressou, em 1902, no Instituto de Formação de Professores, em Nazaré. Em 1906, recebeu uma bolsa para o Seminário Teológico em Poltava, na Ucrânia, onde estudou até 1911. Durante sua estadia na Rússia, pela qual cultivava um sentimento especial, conheceu a literatura russa, que leu com paixão, e que exerceu uma influência constante em seu pensamento e em sua obra. O minucioso diário que escreveu em russo durante esse período também mostra algumas das primeiras tentativas de escrever poesia e prosa nessa língua.

1: Sobrinho de Mikhail Naimy e autor de vários livros.

Em 1911, Naimy foi para os Estados Unidos, para estudar literatura e direito na Universidade de Washington, em Seattle, onde ficou até 1916. Após o término de seus estudos, mudou-se para Nova Iorque. Aí encontrou Khalil Gibran e fundou, com ele e outros imigrantes libaneses e sírios, a famosa Pen Society, cujo objetivo era tirar a literatura árabe de sua posição clássica de centenas de anos e levá-la para uma nova época, onde poderia desenvolver-se de maneira pura, fresca e moderna. Para tanto, Naimy pôde contribuir duplamente nesse período: em primeiro lugar, no papel de crítico e cientista literário, como demonstra seu conhecido livro *Al--Ghirbal* (A peneira), no qual ele critica e ridiculariza essa época; em segundo lugar, ele próprio publica poesias, peças de teatro, romances, contos e ensaios que demonstram como deveria ser a literatura árabe. Seus muitos escritos desse período são considerados obras tradicionais na literatura árabe.

Em 1932, um ano após a morte de seu melhor amigo e companheiro, Khalil Gibran, e depois de vinte anos de permanência ininterrupta nos Estados Unidos, com exceção do período de um ano de serviço entre 1917 e 1918 durante a Primeira Guerra Mundial em acampamentos americanos na França, Naimy decidiu retornar definitivamente para seu local de nascimento no Líbano. Ele há muito cultivava esse desejo. Após ter estudado, trabalhado e vivido o suficiente no Ocidente, e ter sondado a cultura ocidental, Naimy reconheceu que a cultura baseia-se fundamentalmente no que é defendido pelo intelecto e no que pode ser comprovado empiricamente. Assim, essa cultura desenvolveu o aspecto material do ser humano de modo assombroso, mas, por conta de sua natureza fundamental, falhou em fomentar um crescimento espiritual apropriado, que pudesse vivificar, através da ideia de uma meta final, essas possibilidades materiais. Sem essa ideia, a humanidade está predestinada ao autoaniquilamento.

Ao retornar à fazenda de sua família em El Chakhroub, no sopé do majestoso monte Sannine, um local onde a natureza tem uma beleza encantadora, Naimy decidiu dedicar o resto de sua vida a desenvolver sua mensagem espiritual, que se evidencia de maneira notável em sua obra *O Livro de Mirdad*, escrita em inglês. Publicada pela primeira vez em 1948 em Beirute, com uma nova edição em 1954 em Bombaim, seguida de outra em 1962 na Inglaterra, ela até hoje é publicada regularmente. Traduções desse livro apareceram em quase todas as principais línguas orientais e ocidentais.

O cerne da mensagem de Naimy é que o cosmo inteiro, assim como a própria vida, é uno e indivisível em sua essência. Contudo, uma vez que o todo é sempre maior do que a soma das partes, deduz-se daí que somente a análise, por mais cuidadosa e precisa que seja, não pode penetrar a verdade plena e também não pode abranger a realidade, quer se trate de algo pequeno ou grande. Por isso, a verdade nunca pode ser compreendida através de argumentações que se fundamentem em definições ou na ciência que se baseie em experiência, dissecação e análise sensorial. Somente a essência interior do ser humano pode alcançar a essência interior em outras coisas e em todo o Universo. A não ser que seja guiado por ela, o ser humano somente pode reconhecer o lado exterior das coisas. Como observador, ele está condenado a sempre ser vítima dos fatos que não pode compreender em sua essência. Por isso, o ser humano é sempre a causa de todas as tragédias na história. Somente quando nos dirigimos ao cerne, quando nos tornamos cosmicamente conscientes, podemos unificar-nos com a vida absoluta. Entre o ser humano, como forma de vida humana mais inferior, e o ser humano cósmico, a forma de vida humana mais elevada que se pode alcançar, está a "Escarpa Rochosa" do Livro de Mirdad. Subir esse aclive é a via-crúcis do ser humano, na qual ou ele vive para morrer, ou morre para viver.

Naimy escreveu quase cinquenta e três obras de diversos gêneros literários. Ele sempre conseguiu, de modo admirável, unificar um realismo passageiro com uma elevada espiritualidade. *Memoirs of a vagrant soul* (Memórias de uma alma errante), *Sunset soliloquy beyond Moscow and Washington* (Solilóquio ao pôr do sol além de Moscou e Washington), *The last day* (O último dia) e sobretudo sua autobiografia em três partes *Sab'um* (Setenta) também podem ser considerados, assim como *O Livro de Mirdad,* prosa espiritual moderna.

Os escritos de Naimy estão amplamente difundidos e são muito estudados. Muitos livros e dissertações são escritos sobre Naimy, tanto no mundo árabe como fora dele. Recentemente o editor de uma antologia designou Naimy como um dos maiores pensadores espirituais do século XX.

Com exceção de algumas viagens a países árabes, à Índia e duas viagens à Rússia — onde visitou a universidade em que estudou e onde a convite proferiu uma palestra — Naimy permaneceu o resto de sua vida, após sua estadia nos Estados Unidos, em seu rincão natal, onde se ocupou com sua obra, seus visitantes, seus leitores e admiradores das mais diversas partes do mundo. Ele foi cuidado amorosamente por May, sua sobrinha, que foi sua governanta e companheira fiel.

Naimy morreu, aos noventa e nove anos, em 28 de fevereiro de 1988 em sua casa. Ele teve um funeral de Estado e foi enterrado perto de sua amada fazenda, no sopé da montanha

Sannine (a Escarpa Rochosa). Em sua lápide em forma de cruz, está gravada uma citação de seu livro *Solilóquio ao pôr do sol*. Sua tradução é:

Sou tua criança, ó Senhor,
e esta terra bela,
rica e abundante,
em cujo seio me puseste para dormir,
é somente o berço
de onde engatinho para Ti.

Beirute, 10 de maio de 1996.

Prefácio de Antonio Lazaro[2]

*Eu te saúdo,
ó cedro sagrado do Líbano,
que supriste a madeira para o rei Davi,
a fim de que ele construísse seu templo.
Eu te saúdo,
desde a brisa que sopra,
balançando seus ramos
e fazendo suas folhas farfalhar...
A mensagem emergiu!
E Naimy captou a mensagem em seu coração,
compreendeu-a com sua inteligência brilhante,
e então surgiu* O Livro de Mirdad.
*Eu te saúdo,
pois tu inspiraste Mikhail Naimy
a escrever este livro,
que é outro símbolo da eternidade,
assim como tu és.*

2: Um dos pioneiros da Escola Internacional da Rosacruz Áurea no Brasil

Uma centelha da sabedoria eterna vinda do Oriente penetrou, como uma luz brilhante e radiante, na Escola Internacional da Rosacruz Áurea. Era *O Livro de Mirdad*. A palavra "Mirdad" significa "aquele que sempre retorna". É uma perfeita ilustração da sequência de manifestação da Fraternidade gnóstica. O milagre da purificação e integridade que mostra a vida gnóstica em todos os seus aspectos.

Mikhail Naimy e seu sobrinho

Mikhail Naimy, o autor de *O Livro de Mirdad,* nasceu na cidade de Baskinta, perto de Monte Sannine, no Líbano. Aos cinco anos de idade, Naimy iniciou sua alfabetização na escola de sua aldeia. A Sociedade Imperial Russa instituiu várias escolas no Líbano, na Síria e na Palestina, e Naimy estabeleceu seu primeiro contato com o império da Rússia numa dessas escolas.

Em 1902, ao revelar sua grande inteligência e capacidade, ele foi enviado para o colégio dos professores russos, na Terra Santa. Mais tarde, foi para a Rússia e lá completou seus estudos às expensas do Imperador. Naimy demonstrou forte interesse por autores russos como Bilsinsky, Gorki, Tolstói e muitos outros. Mas principalmente por Tolstói, pois ele, assim como Naimy, rejeitava muito as religiões baseadas em forças naturais.

Nos Estados Unidos, Naimy conviveu em íntima amizade com Khalil Gibran, que foi poeta, escritor, músico e pintor. Seu livro *O Profeta* foi um *best-seller* nos Estados Unidos. Quando Gibran morreu, aos 54 anos, Naimy deixou a América do Norte e retornou à sua terra natal, o Líbano, onde faleceu com quase 100 anos de idade.

Mikhail Naimy e seu sobrinho

Durante sua estada na Rússia, escreveu muitos poemas. Um desses poemas mostrou claramente que ele se sentia como uma *Pistis*.[3] Diz o verso:

Quando a morte chega
e o túmulo abre sua boca,
fecho os olhos
e então vejo que no túmulo
está o berço da verdadeira vida.

3: Palavra de origem grega que nos remete ao evangelho apócrifo Pistis Sophia e que significa fé. Aqui, o autor do texto se refere a uma pessoa que sonda as profundezas da realidade.

Como O *Livro de Mirdad* entrou em minha vida

Estava ainda na Escola de Max Heindel, quando o livro de Mikhail Naimy me chegou às mãos. Era a edição original em árabe. Abri-o e, depois de ler uma ou duas páginas, fechei-o e deixei-o de lado, pois ele não me despertou nenhum interesse.

Mas dois anos depois, quando já estava em nossa amada Escola, e quando lia os livros de Jan van Rijckenborgh e Catharose de Petri, em determinado momento, a leitura avivou minha memória e lembrei-me do livro árabe que tinha relegado ao esquecimento. Refleti durante algum tempo e conclui que o escritor árabe e os grão-mestres da Rosacruz seguiam a mesma linha de pensamento e traziam a mesma mensagem. No dia seguinte, fui em busca de O *Livro de Mirdad* e encontrei alguns exemplares com amigos meus, porém em árabe. Precisava encontrar a edição em inglês.

Então uma coisa extraordinária aconteceu. Um amigo, que não sabe nada de inglês, proveu-me com a aparentemente exclusiva cópia inglesa que circulava no Brasil. E eu li de novo o livro em árabe, que, em seu belo e elegante estilo da literatura árabe, revelava para mim a Doutrina Universal completa. Imediatamente enviei-o para a Holanda, e três semanas depois recebi uma resposta de meu amigo C. G. Stratman: "Amigo, estou indo a Renova para uma conferência. Já iniciei a tradução do livro que você me enviou e li muitos trechos para os grão-mestres, que exultaram e autorizaram sua publicação".

Esse acontecimento me impressionou profundamente, mas agora reconheço a verdade: a mensagem da Fraternidade somente se revela quando alguém é tocado pela Luz e pela Gnosis e, reconhecendo isso, é elevado. Se alguém diligentemente experimenta realizar a sagrada tarefa que tem de cumprir, a Fraternidade da Vida provê todos os elementos necessários.

Quando visitei Mikhail Naimy no Líbano, perguntei-lhe qual era seu objetivo no isolamento em que permanecia, numa casa pequena, longe de todo o barulho e burburinho. Ele respondeu-me: "Desejo unir meu conhecimento com o grande, o conhecimento amplo. Você sabe de algum livro que ensine isso?"

"Claro", respondi, "é *O Livro de Mirdad*."

Ele ficou surpreso e feliz, e me disse: "Muitas vezes de joelhos peço a Deus por outra inspiração igual à do *Livro de Mirdad*".

Ao despedir-me, perguntei-lhe quais eram os *royalties* para imprimir esse seu livro em português. Ele levantou-se sorridente, abraçou-me e disse: "Pague os *royalties* espalhando este livro pelo mundo".

E assim o fiz. Agora, *O Livro de Mirdad* está publicado em português, holandês, alemão, francês, castelhano e polonês. E tenho certeza de que será publicado em muitas outras línguas. Assim, estou apto para expressar minha gratidão pela profunda amizade que me liga à alma de Mikhail Naimy, o mensageiro da Gnosis árabe, que deu seu apoio à Escola Internacional da Rosacruz Áurea, que está ativa em mais de trinta países ao redor do mundo.

Quero encerrar com as palavras de Naimy, quando ele se preparava para deixar sua profissão:

> *Um pouco de paciência, ó minha querida caneta,*
> *um pouco de paciência*
> *e descansarás de mim,*
> *e eu descansarei de ti.*
> *Um pouco de paciência,*
> *pois ainda há um pouco de óleo na lâmpada*
> *e um pouco de tinta no tinteiro.*

Frequentemente me pergunto se Mikhail Naimy continua como uma *pistis* — sobre o qual se pode ler no livro e como acabei de revelar — ou se ele alcançou o estado de conhecimento da Pistis Sophia.[4] Eu não tenho resposta, mas uma grande esperança que ele tenha. E que assim seja.

Antonio Lazaro

4: O ser humano a quem se revelou o Conhecimento e que perseverou até a Libertação.

O *Abade Prisioneiro*

No mais alto cume das Montanhas Alvas,[5] conhecido como o Pico do Altar, jazem as vastas e sombrias ruínas de um mosteiro, outrora famoso, com o nome de A ARCA. A tradição o ligaria a tempos tão antigos quanto os do Dilúvio.

Várias lendas foram tecidas a respeito da Arca, porém a mais corrente na boca dos montanheses, entre os quais tive a oportunidade de passar um Verão, à sombra do Pico do Altar, é a seguinte:

Muitos anos após o grande Dilúvio, Noé, sua família e seus descendentes foram levados pelas águas até as Montanhas Alvas, onde encontraram vales férteis, rios caudalosos e um clima extraordinariamente ameno. E ali resolveram instalar-se.

5: Em inglês, o termo *milky*, além de denotar a cor leitosa, confere às montanhas serenidade e humildade. Além disso, a palavra Líbano, que designa tanto o país como a montanha, é uma palavra que remete a leite. O branco da neve, e a terra bíblica de leite e mel (N.T.).

Tendo Noé percebido que seus dias se aproximavam do fim, chamou para junto de si seu filho Sem, que, como ele, era um sonhador e um visionário, e disse-lhe:

— Repara, filho meu, quão rica foi a colheita da vida de teu pai. Agora o último molho está pronto para a segadeira. Tu e teus irmãos, e teus filhos, e os filhos de teus filhos, repovoareis a Terra desolada, e a vossa semente será como a areia do mar, segundo a promessa que Deus me fez.

No entanto, assalta-me certo receio nestes dias bruxuleantes que me restam. É que os homens, com o tempo, esquecerão do Dilúvio e da luxúria e da maldade que o provocaram. Também se esquecerão da Arca e da Fé que a susteve em triunfo, durante cento e cinquenta dias, sobre a fúria das profundezas vingadoras. E não terão consciência da Nova Vida que surgiu dessa Fé da qual eles serão o fruto.

Para que eles não se esqueçam, eu te rogo, filho meu, que levantes um altar sobre o mais alto pico destas montanhas, o qual, daí por diante, será chamado Pico do Altar. Rogo-te que construas, à volta desse altar, uma casa que, em todos os pormenores, corresponda à arca, embora de menores dimensões, e que seja chamada A Arca.

Sobre esse altar eu tenciono fazer minha última oferenda. E do fogo que eu ali acender, peço-te que conserves uma chama perpetuamente acesa. Quanto à casa, dela farás um santuário onde viverá uma pequena comunidade de eleitos, cujo número nunca será nem mais nem menos que nove. Eles serão conhecidos como os Companheiros da Arca. Quando um deles falecer, Deus imediatamente proverá outro que o substitua. Eles jamais deixarão o santuário, onde viverão uma vida de claustro, pelo resto de seus dias, praticando toda a austeridade da Arca-Mãe, conservando aceso o fogo da Fé e pedindo ao Altíssimo que os guie, bem como a seus semelhantes. Suas necessidades materiais serão providas pela caridade dos fiéis.

Sem, que estivera sorvendo, sílaba por sílaba, as palavras de seu pai, interrompeu-o para saber o motivo do número *nove* — nem mais nem menos; e o patriarca ancião explicou, dizendo:

— Porque, meu filho, foi esse o número dos que navegaram na Arca.

Mas Sem não conseguia contar mais do que oito: seu pai e sua mãe, ele próprio e a esposa, seus dois irmãos e as respectivas esposas, e, consequentemente, ficou muito perplexo diante das palavras do pai. E Noé, percebendo a perplexidade do filho, explicou ainda:

— Guarda silêncio, que vou revelar-te um grande segredo, meu filho. A nona pessoa era um clandestino, que somente eu vi e conheci. Era meu constante companheiro e meu timoneiro. Nada mais me perguntes sobre ele, mas não deixes de guardar-lhe um lugar em teu santuário. Esta é minha vontade, Sem, meu filho. Providencia para que seja executada.

E assim, Sem fez o que seu pai lhe havia ordenado. Quando Noé foi juntar-se a seus antepassados, seus filhos o enterraram debaixo do altar, na Arca que, por muitos e muitos anos, continuou a ser, de fato e em espírito, o verdadeiro santuário idealizado e ordenado pelo venerável conquistador do Dilúvio.

Com o passar dos séculos, porém, a Arca principiou, pouco a pouco, a aceitar, dos fiéis, donativos muito além do que realmente necessitava. De tal fato resultou que se foi tornando, de ano para ano, mais rica em terras, prata, ouro e pedras preciosas.

Um dia, há algumas gerações, tendo acabado de falecer um dos Nove, um estranho apresentou-se aos portões, solicitando sua admissão na comunidade. De acordo com as antigas tradições da Arca, tradições essas que jamais tinham sido violadas, o estranho deveria ser imediatamente aceito, já que havia sido o primeiro a solicitar admissão logo após o falecimento de um dos companheiros. Mas acontece que o Superior, nome que se dava ao abade da Arca, era, nessa ocasião, um homem prepotente, de mentalidade mundana e de coração duro. Não lhe agradou a aparência do estranho, que estava nu, faminto e coberto de chagas; disse-lhe que era indigno de ser admitido na comunidade.

O estranho insistiu em ser admitido, e essa insistência de tal modo enfureceu o Superior que ele exigiu que o estranho se retirasse imediatamente. O homem, porém, era persuasivo e recusava-se a ir embora. Afinal, persuadiu o Superior, que o admitiu como servo.

Muito tempo esteve o Superior à espera de que a Providência lhe enviasse um companheiro para substituir o que havia falecido. Mas nenhum homem apareceu. Assim, pela primeira vez em sua história, a Arca alojava oito companheiros e um servo.

Passaram-se sete anos, e o mosteiro tornou-se tão rico que já ninguém podia avaliar sua riqueza. Possuía todas as terras e aldeias por muitas e muitas milhas ao redor. O Superior estava muito contente e passara a ter boa disposição com o estranho, acreditando que ele havia trazido "boa sorte" para a Arca.

No alvorecer do oitavo ano, porém, a situação começou a modificar-se rapidamente. A outrora pacífica comunidade estava fermentando. O astuto Superior logo intuiu que a causa daquilo era o estranho, e resolveu expulsá-lo. Mas, infelizmente, era tarde demais. Os monges sob sua direção já não aceitavam qualquer regra ou razão. Em dois anos, doaram todas as propriedades do mosteiro, bens pessoais e bens imóveis.

Os inúmeros arrendatários de terras passaram a ser proprietários. No terceiro ano, todos os monges abandonaram o mosteiro e, o que é mais horrível, o estranho amaldiçoou o Superior, dizendo que ele ficaria *preso* àquele local e se tornaria mudo.

Assim corre a lenda.

Não faltaram testemunhas que me afirmassem tê-lo visto várias vezes — quer de noite, quer de dia — a vagar pelas terras do mosteiro deserto e reduzido a ruínas. No entanto, ninguém jamais conseguira arrancar-lhe uma única palavra dos lábios. Mais ainda, cada vez que percebia a presença de qualquer homem ou mulher, ele desaparecia rapidamente, ninguém sabe onde.

Confesso que essa história me tirou o sossego. A ideia de um monge solitário — ou mesmo sua sombra — vagando durante muitos anos nas dependências de um santuário tão antigo, no alto de um pico desolado como o Pico do Altar, era por demais obcecante para que eu pudesse abandoná-la. Farpeava-me os olhos, afligia-me os pensamentos, lacerava-me o sangue, inflamava-me a carne e os ossos.

Finalmente, decidi: subirei a montanha.

O caminho da Arca

A História do Livro

O vale das caveiras

A Escarpa Rochosa[6]

Defrontando o mar a oeste e elevando-se muitas centenas de metros acima do nível das águas, assomava ao longe o Pico do Altar, desafiante e ameaçador, com uma face larga, pedregosa e quase a prumo. No entanto, duas veredas razoavelmente seguras foram-me mostradas, ambas tortuosas e estreitas, contornando muitos precipícios — uma ao sul e outra ao norte. Resolvi desdenhar ambas. Entre elas, descendo diretamente do cume e chegando bem próximo à base da montanha, pude vislumbrar uma ladeira estreita e lisa, que me parecia o caminho real[7] para chegar até o pico. Atraiu-me com uma força misteriosa, e decidi fazer dela meu caminho.

Quando revelei minha decisão a um dos montanheses, ele fitou-me com um par de olhos flamejantes e, erguendo as mãos juntas, exclamou, aterrorizado:

6: No original *flint:* silex, pederneira, pedra de fogo (N.T.).

7: A expressão *the royal road* significa por um lado o caminho mais fácil e direto, por outro, o caminho real (N.T.).

— Pela Escarpa Rochosa? Não seja tolo em desperdiçar a vida por tão pouco. Muitos já antes o tentaram, porém nenhum deles jamais voltou para contar o que viu. A Escarpa Rochosa? Nunca, jamais!

Assim dizendo, insistiu em guiar-me pela montanha acima. Eu, porém, delicadamente dispensei-lhe o auxílio. Não posso explicar por que seu terror causou em mim um efeito contrário ao que seria de esperar. Ao invés de deter-me, estimulou-me a prosseguir, tornando ainda mais firme a minha decisão de iniciar a escalada.

Certa manhã, exatamente no momento em que a escuridão começava a dissolver-se na luz, sacudi dos olhos os sonhos da noite e, empunhando meu bordão e sete pães, parti para a Escarpa. Os suaves murmúrios da noite que expirava, o pulso rápido do dia que nascia, um anseio persistente de enfrentar o mistério do monge *prisioneiro* e um anseio, ainda maior, de libertar-me de mim mesmo, ainda que fosse por um só momento, pareciam emprestar-me asas aos pés e dar vivacidade a meu sangue.

Principiei a jornada com um cântico no coração e um firme propósito na alma. Quando, porém, depois de longa e alegre caminhada, cheguei à extremidade inferior da Escarpa e tentei a escalada com os olhos, o cântico morreu-me na garganta. Aquilo que, visto de longe, me havia parecido uma estrada reta, suave e estendida como uma fita, apresentava-se, agora, larga, quase a prumo, altíssima e inconquistável. Até onde minha vista alcançava, para cima e para os lados, eu não via nada além de rochas talhadas em vários tamanhos e formas, a menor lasca como agulha pontuda ou navalha afiada. Nem o mais leve sinal de vida. Uma mortalha tão sombria, inspirando horror, debruçava-se sobre toda a paisagem, e não se vislumbrava o topo da montanha. Não me deixei, porém, dissuadir.

Sentindo ainda flamejar no rosto o olhar do bondoso homem que me havia advertido contra a Escarpa, reforcei minha decisão e principiei a escalada. Logo, porém, compreendi que somente com os pés não poderia chegar muito longe, pois a rocha escorregava debaixo deles produzindo um ruído terrível como o de um milhão de gargantas que estivessem sendo estranguladas. Para avançar, eu precisava enterrar as mãos e os joelhos, tanto quanto os dedos dos pés, naquelas rochas móveis. Como desejei ter a agilidade de uma cabra!

Mais e mais eu avançava para cima, rastejando em ziguezague, sem descanso. Receava que caísse a noite antes que pudesse atingir meu alvo. Nem me passava pela ideia desistir.

O dia quase passara quando tive um súbito ataque de fome. Até aquele momento eu não havia pensado em comida ou bebida. Os pães que atara em um lenço que me cingia a cintura eram uma preciosidade cujo valor eu mal podia avaliar naquele instante. Desamarrei-os e estava para partir o primeiro bocado quando senti soar nos ouvidos o som de uma sineta e algo que me parecia o lamento de uma flauta de bambu. Nada me pareceria mais surpreendente no seio daquela desolação guarnecida de rochas.

Subitamente vi surgir, numa elevação à minha direita, um grande bode-guia[8] negro com um cincerro ao pescoço. Antes que pudesse tomar fôlego, vi-me cercado de todos os lados por cabras, a rocha estalando sob suas patas assim como sob meus pés, mas produzindo um ruído muito menos horrível. Como se tivessem sido convidadas, as cabras guiadas

---

8: O termo inglês *bellwether* significa carneiro-guia castrado (N.T.).

pelo bode-guia atiraram-se a meus pães e tê-los-iam arrancado de minhas mãos se não tivessem ouvido a voz do pastor que — não sei como, nem quando — surgiu a meu lado. Era um jovem de aparência marcante — alto, forte e radiante. Sua única veste era uma pele que lhe cingia os lombos, e a flauta, na mão direita, era sua única arma.

— Este meu bode-guia é um bode mimado, disse ele suavemente e a sorrir. Dou-lhe pão, sempre que o tenho. Faz, porém, muitas e muitas luas que não passa por aqui nenhuma criatura que se alimente de pão.

A seguir, dirigiu-se ao bode-guia:

— Vês como a Fortuna tudo provê, meu guia fiel? Nunca percas a esperança na Fortuna.

E assim, abaixando-se, apanhou um pão. Julgando que ele estivesse com fome, disse-lhe muito amável e sinceramente:

— Podemos partilhar esta frugal refeição. Há pão suficiente para nós dois — e para o bode-guia.

Fiquei, porém, quase paralisado de assombro vendo-o atirar às cabras o primeiro pão, o segundo e o terceiro... todos, até o sétimo, tirando, de cada um, um bocado para si. Fiquei estupefato, e a ira começou a dilacerar-me o peito. No entanto, compreendendo meu desamparo, consegui aquietar um pouco a cólera e voltei-me perplexo para o pastor de cabras, dizendo como quem ao mesmo tempo suplica e censura:

— Agora que alimentaste tuas cabras com o pão de um homem faminto, não vais dar-lhe um pouco do leite delas?

— O leite de minhas cabras é veneno para os ignorantes, e não quero que nenhuma delas seja culpada de tirar a vida, mesmo que seja a de um ignorante.

— Mas, por que sou ignorante?

— Porque trazes sete pães para uma viagem de sete vidas.
— Deveria, então, ter trazido sete mil?
— Nem mesmo um só.
— Fazer tal viagem sem provisões — é isso que me aconselhas?
— O caminho que não oferece provisões ao viandante não merece ser seguido.
— Desejarias, então, que eu comesse rochas como pão e bebesse meu suor como água?
— Tua carne é comida suficiente, e teu sangue é bebida suficiente. Ademais, há o caminho.
— Levas muito longe teu escárnio, pastor de cabras. Não vou, porém, retribuí-lo. Quem come de meu pão, ainda que me deixe faminto, torna-se meu irmão. O dia está fugindo por trás da montanha e preciso recomeçar minha marcha. Queres informar-me se ainda estou muito longe do cume?
— Estás perto demais do Esquecimento.

Assim dizendo, colocou a flauta nos lábios e saiu marchando na cadência das notas fatídicas de uma melodia que soava qual lamento dos mundos inferiores. O bode-guia seguiu-o e, após este, todas as outras cabras. Durante muito tempo ainda pude ouvir os estalos das rochas e o balir das cabras misturados com os lamentos da flauta.

Tendo esquecido totalmente a fome, principiei a recuperar parte de minha energia e de minha determinação que o pastor havia destruído. Se a noite me alcançasse naquela tenebrosa massa repleta de rochas, precisaria encontrar um local onde pudesse estirar os ossos cansados, sem correr o risco de rolar Escarpa abaixo. Recomecei a rastejar. Olhando para baixo, mal podia acreditar que já tivesse subido tanto. A base da Escarpa já não estava à vista; e, olhando para cima, parecia-me que, dentro em pouco, alcançaria o cume.

Ao cair da noite, atingi um grupo de rochas que formavam como que uma gruta. Embora a gruta se projetasse sobre um abismo em cujo fundo se erguiam sombras negras e pavorosas, resolvi dela fazer minha pousada para a noite.

Meus calçados estavam esfarrapados e manchados de sangue. Quando tentei tirá-los, descobri que minha pele havia aderido a eles. As palmas das mãos estavam cobertas de arranhões vermelhos. As unhas pareciam pedaços de casca arrancados de uma árvore morta. Minhas roupas tinham doado suas melhores partes para as pedras afiadas. Sentia a cabeça rodopiar, de tanto sono. A mente parecia-me estar vazia de qualquer pensamento.

Quanto tempo estive adormecido — um momento, uma hora ou uma eternidade — não sei, mas despertei sentindo uma força me puxando pela manga. Sentando-me, assustado e ainda tonto de sono, vi uma donzela de pé, diante de mim, com uma lanterna mortiça na mão. Estava completamente nua e era delicadamente bela de corpo e de rosto. Quem me puxava pela manga do casaco era uma velha tão feia quanto era bela a moça. Senti um calafrio que me fez tremer da cabeça aos pés.

— Vês como a boa Fortuna tudo provê, minha filhinha?, dizia a velha que quase me arrancava o casaco dos ombros. Nunca percas a esperança na Fortuna.

Eu sentia a língua presa e não fazia o menor esforço para falar, e menos ainda para resistir. Em vão apelava para minha vontade, mas esta parecia ter-me abandonado. Sentia-me completamente incapaz de reagir, nas mãos da velha, conquanto pudesse afastá-la, bem como a filha, para fora da gruta, com um simples sopro, se assim o quisesse. Não podia, porém, nem mesmo querer, quanto mais ter alento para expulsá-las.

Não contente em haver-me despido do casaco, a mulher passou a despir-me das outras peças de roupa até deixar-me inteiramente nu. À medida que me despia, entregava as peças de roupa à jovem, que as ia vestindo. A sombra de meu corpo nu, projetada na parede da gruta juntamente com as sombras das mulheres esfarrapadas, encheu-me de medo e repugnância. Olhava para aquilo sem compreender e nada dizia, quando falar era o que mais precisava, já que a voz era a única arma que possuía naquela situação desagradável. Finalmente minha língua soltou-se, e eu disse:

— Se tendes perdido todo o pudor, velha, eu não o perdi. Estou envergonhado de minha nudez, mesmo diante de uma desavergonhada bruxa como vós. Mais infinitamente envergonhado, porém, sinto-me diante da inocência desta moça.

— Assim como ela se reveste de tua vergonha, reveste-te de sua inocência.

— Que necessidade tem uma jovem das roupas esfarrapadas de um homem cansado que se acha perdido em uma noite como esta, em um lugar como este, nas montanhas?

— Talvez para aliviar a carga dele. Talvez para aquecê-la. Os dentes da pobre menina estão batendo de frio.

— Mas quando o frio fizer meus dentes bater, como poderei afugentá-lo? Não tendes misericórdia no coração? Minhas roupas são tudo o que possuo neste mundo.

— *Quanto menos possuíres,*
Menos serás possuído;
Quanto mais possuíres,
Mais serás possuído.

*Quanto mais possuído,
Menos serás avaliado;
Quanto menos possuído,
Mais serás avaliado.
Vamo-nos embora, minha filha.*

Ao tomar ela a mão da jovem, e quando já iam retirar-se, vieram-me à mente mil perguntas que eu desejaria fazer. Só uma, porém, chegou-me à ponta da língua:

— Antes de vos retirardes, velha, poderíeis ter a bondade de dizer-me se ainda estou muito distante do cume?

— Tu estás à beira do Abismo Negro.

A luz mortiça da lanterna lançou de volta para mim suas sombras estranhas quando as duas se retiraram da gruta e desapareceram na noite negra feito breu. Uma escura onda de frio, que não sei de onde vinha, atingiu-me. Ondas mais negras e mais frias seguiram-se. Até as próprias paredes da gruta pareciam estar exalando gelo. Meus dentes puseram-se a bater e, com isso, surgiram os pensamentos mais confusos: as cabras pastando nas rochas, o pastor zombeteiro, essa mulher e essa virgem, eu nu, machucado, ferido, faminto, gelado, confuso, naquela gruta, à orla de tal abismo. Estaria eu perto de meu alvo? Conseguiria atingi-lo? Essa noite teria fim?

Mal acabara de recompor-me quando ouvi o ladrar de um cão e vi outra luz tão perto, tão perto — dentro mesmo da gruta.

— Vês como a boa Fortuna tudo provê, minha querida? Nunca percas a esperança na Fortuna.

A voz era de um homem velho, muito velho, barbado, curvado e de joelhos trêmulos. Falava com uma mulher tão velha quanto ele, sem dentes, descabelada e também curvada e de joelhos trêmulos. Aparentemente, sem tomar conhecimento de minha presença, ele continuou com a mesma voz esganiçada que parecia lutar para sair-lhe da garganta:

— Uma magnífica câmara nupcial para nosso amor e um esplêndido cajado para substituir o que perdeste. Com um cajado assim, já não tropeçarás, meu amor.

E assim dizendo, apanhou meu cajado e deu-o à velha, que se curvou sobre ele, com ternura, acariciando-o com as mãos encarquilhadas. Depois, como quem só então se dava conta de minha presença, mas sempre falando com sua companheira, acrescentou:

— O estranho vai partir imediatamente, querida, e nós poderemos sonhar nossos sonhos de uma noite sozinhos.

Essas palavras me sobrevieram como uma ordem à qual eu me sentia incapaz de desobedecer, especialmente quando o cão aproximou-se, rosnando ameaçadoramente, como que para cumprir a ordem do dono. A cena toda encheu-me de horror. Eu assistia a ela como se estivesse em transe; e foi nesse estado que me levantei e caminhei até a saída da gruta, fazendo esforços desesperados para falar — para defender-me, para assegurar meus direitos.

— Levastes meu cajado. Sereis tão cruéis a ponto de me privar desta gruta que seria meu lar por esta noite?

— *Bem-aventurados os que não têm cajado,*
Pois não tropeçam.
Bem-aventurados os que não têm lar,
Pois estão em casa.
Só os que tropeçam — como nós —
Precisam andar com cajados.
Só os que estão agrilhoados a um lar — como nós —
Precisam ter um lar.

Assim cantavam eles, em dueto, enquanto preparavam o leito, enfiando as longas unhas no solo e nivelando o cascalho, sem prestar atenção a mim. Isso me fez gritar em desespero:

— Olhai para minhas mãos! Olhai para meus pés! Sou um viandante perdido nesta encosta desolada. Tracei com o próprio sangue meu caminho até aqui. Já não posso ver uma única polegada desta pavorosa montanha que parece ser tão familiar para vós. Não tendes receio de pagar por isso? Dai-me ao menos vossa lanterna se não quereis permitir que eu compartilhe esta gruta convosco por esta noite.

— *O amor não será desnudado.*
A luz não será partilhada.
Ama e vê.
Ilumina e sê.
Se a noite se esvai,
E o dia se vai,
E a terra morta está,
Como os viandantes percorrerão o caminho?
Quem ousará aventurar-se?

Exasperado ao extremo, resolvi recorrer à súplica, embora sentisse, o tempo todo, que era inútil, pois uma misteriosa força continuava a empurrar-me para fora:

— Bom velho, boa velha, embora eu esteja entorpecido pelo frio e tonto pelo cansaço, não serei um pedra em vosso sapato.[9] Também eu já provei o amor. Deixar-vos-ei meu cajado e minha humilde pousada, que escolhestes para

---

9: Tradução literal: não serei uma mosca em vosso unguento (Ver Eclesiastes 10:1) (N.T.).

vossa câmara nupcial. Só um pequeno favor vos peço em troca: já que me negais a luz de vossa lanterna, não tereis a bondade de guiar-me para fora desta gruta e ensinar-me o caminho para o cume, pois perdi todo o senso de direção e equilíbrio? Não sei quanto já subi nem quanto ainda terei de subir.

Sem dar atenção a minhas súplicas, eles continuaram a cantar:

— *O verdadeiramente alto é sempre baixo.*
O verdadeiramente rápido é sempre vagaroso.
O altamente sensível é entorpecido.
O altamente eloquente é mudo.
A cheia e a vazante são uma só maré.
Quem não tem guia tem o melhor guia.
O muito grande é muito pequeno.
E tudo tem quem dá tudo o que é seu.

Como último recurso, pedi-lhes que me dissessem para que lado eu devia voltar-me ao sair da gruta, pois a morte poderia estar à minha espreita no primeiro passo que eu desse, e eu ainda não queria morrer. Sem fôlego, esperei pela resposta. Ela veio em outra extravagante canção que me deixou mais perplexo e exasperado do que nunca:

— *A borda da rocha é dura e íngreme.*
O regaço do vácuo é macio e profundo.
O leão e o verme,
O cedro e o vime,
O coelho e o caramujo,
O lagarto e a codorna,
A águia e a toupeira —
Todos no mesmo buraco.

*Um gancho. Uma isca.
Só a morte pode compensar.
Como embaixo, assim é em cima —
Morra para viver ou viva para morrer.*

A luz da lanterna apagou-se no momento em que deixei a gruta, rastejando com as mãos e os joelhos, com o cão atrás de mim, como para certificar-se de que eu realmente saía. A escuridão era tamanha que me parecia sentir seu peso sobre as pálpebras. Eu já não poderia deter-me um só instante. O cão fez-me compreender isso perfeitamente.

Um passo hesitante. Outro passo hesitante. Um terceiro passo hesitante, e senti como se a montanha tivesse escorregado debaixo dos meus pés. Senti-me colhido pelas ondas revoltas de um mar de trevas que me roubavam o alento e me lançavam violentamente para baixo... para baixo... para baixo.

A última visão que me passou pela mente enquanto eu girava no vazio do Abismo Negro foi a do satânico casal de noivos. As últimas palavras que murmurei, quando o alento gelou nas minhas narinas, foram as que eles haviam pronunciado:

Morra para viver ou viva para morrer.

O Guardião do Livro

— Levanta-te, ó feliz estrangeiro. Atingiste teu alvo.

Ressecado de sede, e contorcendo-me debaixo dos raios escaldantes do sol, descerrei levemente os olhos para encontrar-me prostrado no chão e ver o vulto negro de um homem curvado sobre mim, delicadamente umedecendo-me os lábios com água e cuidadosamente lavando o sangue de meus vários ferimentos. Era muito corpulento, de feições rudes, com a barba e as sobrancelhas hirsutas, de olhar profundo e aguçado, de idade muito difícil de determinar. Contudo, seu toque era suave e reconfortante.

Foi com seu auxílio que pude sentar-me e perguntar com uma voz que mal alcançava meus próprios ouvidos:

— Onde estou?
— No Pico do Altar.
— E a gruta?
— Atrás de ti.
— E o Abismo Negro?
— Diante de ti.

Foi imenso meu assombro, realmente, quando olhei e vi, atrás de mim, a gruta, e o negro abismo bocejando na minha frente. Eu me encontrava bem à beira do precipício, e então pedi ao homem que me levasse para o interior da gruta, o que ele fez com a maior boa vontade.

— Quem me tirou do Abismo?

— Aquele que te guiou até o alto deve ter-te tirado do Abismo.

— Quem é *ele*?

— O mesmo *ele* que me atou a língua e me manteve acorrentado a este Pico durante cento e cinquenta anos.

— Vós sois, então, o abade *prisioneiro*?

— Sim, sou.

— Mas vós falais; ele é mudo!

— Tu desataste minha língua.

— Ele evita a companhia dos homens; vós, ao que parece, não tendes medo de mim.

— Evito todos os homens, menos tu.

— Jamais, até hoje, vistes meu rosto. Por que evitais todos os homens, menos eu?

— Durante cento e cinquenta anos estive à tua espera. Durante cento e cinquenta anos, sem falhar um só dia, em todas as estações do ano e com todo e qualquer tempo, meus olhos pecadores procuraram, por entre os rochedos da Escarpa, um homem que houvesse subido a montanha e chegado aqui como tu chegaste: sem cajado, nu e sem provisões. Muitos foram os que tentaram a subida pela Escarpa, porém jamais chegaram. Muitos chegaram por outros caminhos, porém não vinham sem cajado, nus e sem provisões. Durante todo o dia de ontem observei tua caminhada. À noite deixei que dormisses na gruta, mas ao alvorecer aqui vim e encontrei-te desacordado e sem alento. Mas tinha a certeza de que voltarias à vida. Aí estás! Mais vivo do que eu. Tu morreste para viver. Eu estou vivendo para morrer. Glória seja dada a *seu* nome! Tudo se passou conforme *ele* prometeu. Tudo é como deveria ser. Não tenho a menor dúvida de que és tu o escolhido.

— Quem?

— O bem-aventurado em cujas mãos devo entregar o livro sagrado para que o publique e entregue ao mundo.

— Que livro?

— *Seu* livro — *O Livro de Mirdad*.[10]

— Mirdad? Quem é Mirdad?

— Será possível que não tenhas ouvido falar de Mirdad? Que estranho! Eu estava absolutamente certo de que nesta época seu nome já teria sido propagado por toda a terra, tal como interpenetra o solo debaixo de meus pés, o ar ao meu redor e o céu acima de mim. Sagrado é este solo, ó estrangeiro; seus pés o pisaram. Sagrado é este ar; seus pulmões o respiraram. Sagrado é este céu; seus olhos o perscrutaram.

E assim dizendo, o monge curvou-se reverentemente, beijou três vezes o solo e calou-se. Depois de uma pausa, eu disse:

— Aguçais meu desejo de saber mais a respeito desse homem que chamais de Mirdad.

— Presta ouvidos, e te contarei tudo o que não me é proibido contar. Meu nome é Shamadam.[11] Eu era o Superior da Arca quando faleceu um dos nove companheiros. Sua alma

---

10: Mirdad: do árabe. Tem dois sentidos: Aquele que responde e aquele que sempre retorna (N.T.).

11: Shamadam: do inglês: *sham Adam,* falso Adão (N.T.).

mal havia partido daqui quando vieram avisar-me que um estranho se achava ao portão pedindo para falar-me. Compreendi de imediato que ele havia sido enviado pela Providência para tomar o lugar do companheiro falecido e devia ter-me regozijado pelo fato de Deus ainda estar velando pela Arca, tal como Ele havia feito desde a época de nosso pai Sem.

Nessa altura, eu o interrompi para perguntar se era verdade o que havia contado o povo lá de baixo, que a Arca fora construída pelo primeiro filho de Noé. Sua resposta foi imediata e enfática:

— Sim. É exatamente conforme te disseram.

E continuou a história interrompida:

— Pois bem. Eu deveria ter-me regozijado. No entanto, por motivos inteiramente fora de meu entendimento, senti a revolta crescer-me no peito. Antes mesmo de ter posto os olhos no estranho, já todo o meu ser lutava contra ele. E resolvi recusá-lo, plenamente consciente de que, fazendo-o, quebrava as invioláveis tradições do mosteiro e rejeitava Aquele que o havia enviado.

Quando abri o portão e o vi — um simples jovem de não mais de vinte e cinco anos — meu coração eriçou-se com punhais com os quais desejava golpeá-lo. Nu, aparentemente faminto e sem o menor meio de proteção, nem ao menos um cajado, ele parecia inteiramente indefeso. Entretanto, certa luz em seu rosto fazia que ele parecesse mais invulnerável do que um cavaleiro em armadura e muito mais velho do que realmente era. Todas as minhas vísceras bradavam contra ele. Cada gota de sangue em minhas veias desejava esmagá-lo. Não me peças explicações. Talvez seu olhar penetrante me houvesse desnudado a alma, e eu estivesse aterrorizado de ver minha alma despida diante de qualquer homem. Talvez sua pureza revelasse minha imundície, e doesse-me perder os véus que por tanto tempo eu vinha tecendo para ocultá-la, pois a imundície sempre ama seus véus. Talvez houvesse uma antiga contenda entre suas estrelas e as minhas. Quem sabe? Quem sabe? Só ele pode dizer.

No mais ríspido e impiedoso tom de voz, disse-lhe que não poderia ser admitido na comunidade e ordenei-lhe que se retirasse imediatamente. Ele, porém, não se moveu e, calmamente, aconselhou-me a reconsiderar. Seu conselho pareceu-me um insulto e cuspi-lhe no rosto. Ainda assim ele permaneceu inabalável e, limpando vagarosamente a saliva do rosto, mais uma vez aconselhou-me a reconsiderar minha decisão. Enquanto ele limpava o cuspe do rosto, eu tinha a impressão de que era o meu rosto que estava sendo emporcalhado com o cuspe. Sentia-me derrotado e, no íntimo de meu ser, admitia que a luta era desigual, sendo ele o combatente mais forte.

Como acontece com todo orgulho derrotado, o meu recusou-se a abrir mão da luta, até ver-se estatelado e pisoteado no pó. Eu estava quase cedendo ao pedido do homem, mas primeiro queria vê-lo humilhado. Ele, porém, de modo algum seria humilhado.

Subitamente, ele pediu alimento e roupas e, com isso, reviveram minhas esperanças. Com a fome e o frio combatendo contra ele e a meu favor, julguei a batalha vencida. Cruelmente, recusei dar-lhe um pedaço de pão, dizendo que o mosteiro vivia de caridade e por isso não podia fazer caridade. E assim dizendo, eu mentia flagrantemente, pois o mosteiro era muito rico para negar alimento e roupas aos necessitados. Eu queria que ele suplicasse, mas isso ele não faria. Exigia como quem tinha direito. Seu pedido tinha o tom de uma ordem.

A luta durou bastante tempo, porém nunca fraquejou. Desde o início a vitória era dele. Para encobrir minha derrota, finalmente propus que ele entrasse na Arca, porém como servo — somente como um servo. Isso — pensava eu para consolar-me — o humilharia. Mesmo naquele momento, eu não me dava conta de que era eu o mendigo, e não ele. Para selar minha humilhação, ele aceitou a proposta sem ao menos murmurar. Não me passava pela ideia que, aceitando-o como servo — mesmo como um servo — eu estava me excluindo. Até o último dia aferrei-me à ilusão de que era eu, e não ele, o mestre da Arca. Ah, Mirdad, Mirdad! Que fizeste a Shamadam! Shamadam, que fizeste a ti mesmo!

Duas grandes lágrimas escorreram-lhe pela barba, e sua grande figura tremeu. Meu coração comoveu-se, e eu disse:

— Rogo-vos que não faleis mais desse homem cuja memória flui de vós através de lágrimas.

— Não te perturbes, ó abençoado mensageiro. É o orgulho do Superior de outrora que ainda destila estas lágrimas de fel. É a autoridade da letra que está rangendo os dentes contra a autoridade do espírito. Deixa o orgulho chorar; ele chora seu fim. Deixa a autoridade ranger os dentes; é pela última vez que ela o faz. Ah, se meus olhos não estivessem tão velados pelas brumas terrenas quando pela primeira vez encarei seu semblante celestial! Ah, se meus ouvidos não estivessem tão entupidos com a sabedoria terrena quando foram desafiados pela sua sabedoria divina! Ah, se minha língua não estivesse tão recoberta dos amargos deleites da carne quando lutava com sua língua revestida pelo espírito! Porém, tenho já colhido muito, e mais ainda terei de colher do joio de minha ilusão.

Durante sete anos ele foi um humilde servo entre nós — gentil, alerta, inofensivo, discreto, pronto a executar o menor pedido de qualquer um dos Companheiros. Movia-se como se estivesse deslizando no ar. Nem uma só palavra saía-lhe dos lábios. Pensávamos que tivesse feito um voto de silêncio. Alguns de nós estavam, a princípio, inclinados a provocá-lo. Ele recebia os golpes com uma calma extraterrena e, dentro em pouco, havia-nos forçado a respeitar-lhe o silêncio. Diferentemente do que se dava com os outros sete Companheiros, os quais se deliciavam com sua calma e, dessa forma, eram mitigados, eu a sentia opressiva e enervante. Muito esforço fiz para perturbá-la, sempre, porém, em vão.

O nome sob o qual se apresentou foi Mirdad. Só por esse nome ele atendia. Era tudo o que sabíamos dele. No entanto, sua presença era intensamente sentida por todos nós, tão intensamente que raras vezes falávamos, mesmo de coisas essenciais, a não ser depois que ele se retirava para sua cela.

Foram anos de abundância, os primeiros sete anos de Mirdad. As amplas posses do mosteiro foram aumentadas muito além de sete vezes. Meu coração suavizou-se a seu favor e consultei seriamente a comunidade sobre admiti-lo como companheiro, já que a Providência não nos enviava outro.

Justamente então sucedeu o que nenhum de nós previu — o que nenhum de nós poderia prever — e menos ainda este pobre Shamadam. Mirdad desselou os lábios, e a tempestade foi desencadeada. Ele deu vazão àquilo que durante tanto tempo seu silêncio havia ocultado, e aquilo irrompeu em torrentes tão irresistíveis que todos os Companheiros foram colhidos em sua rápida correnteza — todos, menos este pobre Shamadam, que lutou contra elas até o fim. Tentei inverter a correnteza, afirmando minha autoridade como Superior, mas os Companheiros não reconheciam outra autoridade que não fosse a de Mirdad. Mirdad era o mestre; Shamadam não passava de um marginal. Recorri até à astúcia. Alguns companheiros tentei subornar com largas somas de ouro e prata; a outros, prometi grandes lotes de terra fértil. Já estava quase tendo êxito quando, de modo misterioso, Mirdad tornou-se consciente de minhas intrigas e as desfez sem o menor esforço — bastaram, para isso, umas poucas palavras.

Muito estranha e envolvente era a doutrina que ele sustentava. Está, toda ela, no Livro. Disso não me é permitido falar, mas sua eloquência faria a neve parecer piche, e o piche, neve, tão penetrante e poderosa era sua palavra. A essa arma que poderia eu opor? Nada, senão o selo do mosteiro, que se achava em meu poder. Mas mesmo esse já de nada me servia, pois os Companheiros, entusiasmados por suas exortações inflamadas, forçavam-me a assinar e a apor o selo do mosteiro a todos os documentos que julgavam que eu deveria legalizar. Pouco a pouco, doaram todas as terras do mosteiro, que a este haviam sido doadas pelos fiéis ao longo de muitos e muitos anos. Depois, Mirdad começou a enviar os Companheiros para fora do mosteiro, carregados de presentes para os pobres e necessitados em todos os vilarejos das cercanias. No último Dia da Arca, que era um dos dois festivais anuais da Arca, sendo o outro o Dia da Vinha, Mirdad encerrou suas loucuras ordenando a seus Companheiros que despojassem o mosteiro de todos os seus pertences e os distribuíssem ao povo que se havia reunido lá fora.

Tudo isso eu vi com meus olhos pecadores e registrei no coração, que quase rebentou de ódio a Mirdad. Se o ódio, sozinho, pudesse matar, aquele que me fervia no peito teria matado mil Mirdads, mas seu amor era mais forte que meu ódio. Mais uma vez a luta era desigual. Mais uma vez meu orgulho não cederia enquanto não se visse estatelado e pisoteado no pó. Ele esmagou-me sem combater-me. Eu o combati, mas somente esmaguei a mim mesmo. Quantas vezes ele tentou, com sua longa e amorosa paciência, remover a trave[12] que estava em meus olhos e me impedia de ver! Quantas vezes eu procurei outras, mais fortes, para pô-las diante de meus próprios olhos! Quanto mais amor ele demonstrava por mim, mais eu lhe retribuía com meu ódio.

Éramos dois guerreiros no campo de batalha — Mirdad e eu. Mas ele, sozinho, era uma legião. Eu lutava uma luta solitária. Tivesse eu tido o apoio dos outros Companheiros e ao fim teria sido o vencedor; e ter-lhe-ia devorado o coração. Meus companheiros, porém, lutavam com ele, contra mim. Traidores! Mirdad, Mirdad, tu te vingaste!

Mais lágrimas, desta vez acompanhadas de soluços e de uma longa pausa, após a qual o Superior de novo se curvou e três vezes beijou o solo, dizendo:

— Mirdad, meu conquistador, meu senhor, minha esperança, meu castigo e minha recompensa, perdoa a amargura de Shamadam. A cabeça de uma cobra conserva seu veneno mesmo depois de separada do corpo. Mas, felizmente, já não pode morder. Vê, Shamadam já não tem presas, nem veneno. Sustenta-o com teu amor, até o dia em que o mel possa destilar de sua boca, tal como destilava da tua. Foi isso que tu lhe prometeste. Hoje o libertaste de sua primeira prisão. Não o deixes penar por muito tempo na segunda.

Como se tivesse lido em minha mente a pergunta de quais eram as prisões a que se referia, o Superior, suspirando,

---

12: O autor utilizou a palavra scales (pratos da balança ou escamas) no lugar de beam (trave) da expressão bíblica (N.T.).

explicou, em uma voz tão suave e mudada que se poderia jurar ser de outro homem:

— Naquele dia, ele chamou-nos a todos para dentro desta mesma gruta, onde, frequentemente, dava lições aos Sete. O sol estava-se pondo. O vento oeste havia trazido uma neblina cerrada que enchia as gargantas da montanha e espalhava-se como uma mortalha mística por toda a terra, desde aqui até o mar. Elevava-se até a metade desta montanha, que parecia, assim, haver-se transformado em uma praia. No lado do ocidente havia nuvens negras e sinistras que obscureciam totalmente o sol. O Mestre, comovido, porém dominando sua emoção, abraçou cada um dos Sete, dizendo, ao abraçar o último:

"Muitos anos vivestes vós nas alturas. Hoje tereis de descer às profundezas. A menos que subais, descendo, e a menos que junteis o vale ao cume, as alturas sempre vos deixarão tontos, e as profundezas vos deixarão cegos."

Depois, voltando-se para mim, olhou-me terna e longamente nos olhos e disse:

"Quanto a ti, Shamadam, tua hora ainda não chegou. Terás de esperar o meu retorno a este pico e, enquanto me esperares, serás o guardião de meu livro, que está encerrado em um cofre de ferro, debaixo do altar. Cuida que mão nenhuma o toque — nem mesmo a tua. No devido tempo enviarei meu mensageiro para que o leve, publique e ofereça ao mundo. Eis os sinais pelos quais o reconhecerás: subirá a este cume pela Escarpa Rochosa; iniciará sua viagem completamente vestido, provido de um bastão e sete pães; mas encontrá-lo-ás em frente desta gruta, sem cajado, sem provisões, nu e sem alento. Até que ele chegue, tua língua e teus lábios estarão selados e evitarás a companhia das pessoas. Só quando o vires serás libertado da prisão do silêncio. Depois de lhe haveres entregue o Livro, serás transformado em pedra, pedra essa que guardará a entrada desta gruta até meu retorno. Dessa prisão só eu poderei libertar-te. Se julgares a espera demorada, mais longa ela se tornará. Se a julgares curta, mais curta ela se tornará. Crê e sê paciente." Dito isso, também a mim abraçou.

E depois, voltando-se para os Sete, fez um sinal com a mão e disse: "Companheiros, segui-me".

E marchou adiante deles, descendo a Escarpa, com a nobre cabeça erguida, o olhar firme penetrando a distância, os santos pés mal tocando o solo. Quando chegaram à orla da mortalha de brumas, o sol transluziu na margem inferior da nuvem negra sobre o mar, formando uma passagem em arco no céu, iluminada por uma luz por demais maravilhosa para ser descrita por palavras humanas, deslumbrante demais para olhos mortais. Pareceu-me que o Mestre com os Sete haviam sido desligados da montanha e caminhavam pela neblina, através do arco, para dentro do sol. E como me doía ser deixado para trás, só — ah, tão só!

Como alguém que estivesse exausto pelos pesados trabalhos de um longo dia, Shamadam subitamente relaxou e silenciou, sua cabeça pendeu, suas pálpebras cerraram-se e seu peito começou a arfar em descompasso. Assim permaneceu por longo tempo. Enquanto eu meditava, procurando na mente palavras consoladoras, ele levantou a cabeça e disse:

— Tu és o amado da Fortuna. Perdoa um homem desafortunado. Falei muito — talvez demais. Nem poderia ser de outro modo. Poderia alguém cuja língua tenha jejuado por cento e cinquenta anos romper seu jejum simplesmente com um "sim" ou um "não"? Pode um Shamadam ser um Mirdad?

— Permitis que eu vos faça uma pergunta, irmão Shamadam?

— Quanta bondade tua em chamar-me de "irmão". Ninguém me deu esse tratamento desde que morreu meu único irmão, e isso faz muitos anos. Qual é a pergunta?

— Uma vez que Mirdad é tão grande mestre, é de admirar-se que até hoje o mundo não tenha ouvido falar nele e em seus sete companheiros. Como pode ser assim?

— Talvez esteja esperando chegar sua hora. Talvez ensine sob outro nome. De uma coisa estou certo: Mirdad mudará o mundo assim como mudou a Arca.

— Ele já deve ter falecido há muito tempo.

— Mirdad, não. Mirdad é mais poderoso do que a morte.

— Quereis dizer que ele destruirá o mundo, assim como destruiu a Arca?

— Não, mil vezes não! Ele libertará o mundo, assim como libertou nossa Arca. E então acenderá novamente a luz eterna, que homens como eu têm ocultado sob muitos alqueires de ilusões e agora se queixam das trevas em que se encontram. Ele reconstruirá nos homens aquilo que os homens demoliram em si mesmos. O Livro em breve estará em tuas mãos. Lendo-o, tu verás a luz. Já não devo demorar-me. Espera aqui até que eu volte. Não deves vir comigo.

Levantou-se e foi-se apressadamente, deixando-me bastante perplexo e impaciente. Também eu me levantei, porém não fui além da orla do abismo.

As mágicas linhas e cores da cena expandiram-se diante de meus olhos e fascinaram-me a alma de tal modo que, por um momento, senti-me dissolvido e aspergido em imperceptíveis gotículas, tanto fora como dentro de tudo aquilo: sobre o mar ao longe, calmo e envolto numa leve névoa iridescente; sobre as colinas, ora curvadas, ora eretas, todas, porém, erguendo-se em rápida sucessão desde a praia e pressionando firmemente em direção ao topo dos picos rochosos; sobre as pacíficas aldeias situadas nas colinas emolduradas pelo verde da terra; sobre os vales verdejantes aninhados nas colinas, saciando sua sede nos coração líquido das montanhas matizadas de homens na lavoura e de animais no pasto; dentro das gargantas e ravinas, cicatrizes vivas das montanhas em sua luta contra o Tempo; na brisa suave, no céu azul acima e na terra cinzenta abaixo.

Somente quando meu olhar em seu divagar descansou, pousando sobre a Escarpa, é que voltei a lembrar-me do monge e da desconcertante narrativa a seu respeito, de Mirdad e do Livro. E, imensamente maravilhado, pensei na mão invisível que me havia posto em busca de uma coisa somente para dirigir-me a outra, e abençoei-a de coração.

Logo o monge voltou e, entregando-me um pequeno pacote envolvido em tecido de linho amarelecido pelo tempo, disse:

— Minha missão é, doravante, tua missão. Sê-lhe fiel. Chegou minha segunda hora. As portas de minha prisão começam a abrir-se para receber-me. Logo se fecharão sobre mim. Quanto tempo permanecerão fechadas — só Mirdad poderá dizer. Logo Shamadam será apagado de toda memória. Como é doloroso, ah, como é doloroso ser apagado! Mas por que digo isso? Nada jamais se apaga da memória de Mirdad. Quem vive na memória de Mirdad vive para sempre.

Seguiu-se uma longa pausa, depois da qual o Superior levantou a cabeça e, fitando-me com olhos lacrimejantes, continuou em um sussurro que mal se podia ouvir:

— Dentro em pouco descerás para o mundo. Estás, porém, nu, e o mundo detesta a nudez. Sua própria alma ele envolve em trapos. Já não necessito de minhas roupas. Entrarei na gruta e as despirei, a fim de que possas, com elas, cobrir tua nudez, muito embora as roupas de Shamadam não se ajustem senão a Shamadam. Espero que não sejam um estorvo para ti.

 Não fiz comentário algum àquela proposta, aceitando-a em alegre silêncio. Enquanto o Superior entrava na gruta para despir-se, desembrulhei o Livro e principiei desajeitadamente a folhear suas amarelecidas folhas de pergaminho. Logo me senti preso pela primeira página, que me esforcei por ler, e continuei a ler, e a ler, cada vez mais absorto. Subconscientemente eu esperava que o Superior me avisasse que acabara de despir-se e me chamasse para vestir-me, mas os minutos passaram-se, e ele não me chamou.

 Levantando os olhos das páginas do Livro, olhei para a gruta e no meio dela vi as roupas do Superior amontoadas, mas o próprio Superior eu não via. Chamei-o diversas vezes, cada vez em voz mais alta. Não houve resposta. Fiquei muito assustado e confuso. Na gruta não havia outra saída senão através da estreita entrada onde eu estava. Por ali o Superior não saíra, disso eu não tinha a menor dúvida. Seria ele um fantasma? Mas eu sentira sua carne e seus ossos com minha própria carne e ossos! Além disso, ali estava o Livro, em minhas mãos, e suas roupas, dentro da gruta. Talvez ele estivesse debaixo delas. Entrei e apanhei-as uma por uma, pensando em como era ridícula essa ideia. Uma pilha de roupas muito maior que aquela seria incapaz de ocultar o corpulento Superior. Teria ele, de algum modo misterioso, conseguido sair da gruta e caído no Abismo Negro?

 Tão logo essa ideia brilhou-me no cérebro, saí apressadamente da gruta e, mal tinha dado alguns passos, vi-me frente a frente com uma grande rocha posta exatamente à beira do Abismo. Aquela pedra, havia pouco tempo, não estava ali. Tinha a aparência de uma besta acocorada, mas a cabeça parecia-se muito com a de um homem de feições rudes e graves, com o queixo largo e levantado, as mandíbulas fortemente cerradas, os lábios firmemente fechados e os olhos, semicerrados, fitando o vácuo, na direção norte.

Shamadam

O Livro

Este é o Livro de
MIRDAD
conforme
foi registrado por
Naronda,
o mais jovem
e o menor de seus
companheiros:
um farol e um refúgio
para os que anseiam
vencer a si mesmos.
Que todos os outros
tenham cuidado com ele!

CAPÍTULO I

Mirdad revela-se
e fala de Véus e Selos

Naronda: Ao anoitecer daquele dia, eis que estavam os Oito reunidos à volta da mesa da ceia, e Mirdad achava-se afastado, de pé, aguardando ordens, silenciosamente.

Era uma das antigas regras entre os Companheiros que fosse evitado, sempre que possível, o uso da palavra eu em seu falar. O Companheiro Shamadam estava vangloriando-se de suas realizações como Superior. Citou vários dados para mostrar o quanto contribuía para a riqueza e o prestígio da Arca e, assim fazendo, usou em demasia da palavra proibida. Delicadamente o companheiro Micayon o repreendeu, e logo se levantou entre eles acalorada discussão quanto às finalidades da regra e sobre quem a instaurara, se o pai Noé ou o Primeiro Companheiro, ou seja, Sem. O calor gerou as censuras, e as censuras levaram a uma confusão tal que muito se dizia e nada se podia entender.

Desejando transformar aquela confusão em zombaria, Shamadam, dirigindo-se a Mirdad, disse-lhe, com evidente ironia:

— Eis que temos aqui alguém que é maior do que o patriarca. Mirdad, mostra-nos o que devemos fazer para sair deste labirinto de palavras.

Os olhares todos se voltaram para Mirdad, e foram grandes nosso assombro e nosso júbilo quando, pela primeira vez, após sete anos, ele descerrou os lábios e disse:

MIRDAD: Companheiros da Arca! O desejo de Shamadam, conquanto expresso por ironia, inconscientemente prenuncia a solene decisão de Mirdad, pois, desde o dia em que entrou nesta Arca, Mirdad havia escolhido esta data e este local — exatamente nesta circunstância — para romper seus selos e remover seus véus, revelando-se diante de vós e do mundo.

Com sete selos havia Mirdad selado os lábios. Com sete véus havia Mirdad velado o rosto para que pudesse ensinar a vós e ao mundo quando estivésseis maduros para aprender como remover os selos dos lábios e os véus dos olhos, revelando-vos a vós mesmos, na plenitude da glória que é vossa.

Velados estão vossos olhos com grande número de véus. Cada coisa sobre a qual lançais o olhar é um véu.

Selados estão vossos lábios com grande número de selos. Cada palavra que pronunciais é um selo.

As coisas, sejam quais forem suas formas e espécies, são somente véus e faixas com que a Vida está envolvida e velada. Como poderão vossos olhos, que são em si mesmos um véu e uma faixa, conduzir-vos a algo que não sejam véus e faixas?

E as palavras — não são elas coisas seladas por letras e sílabas? Como poderá vosso lábio, que é em si mesmo um selo, pronunciar algo que não sejam selos?

O olho pode velar, porém não pode penetrar os véus. O lábio pode selar, porém não pode romper os selos.

Não lhes peçais nada além do que eles podem dar. Essa é a parte que lhes cabe na atividade do corpo, e eles a desempenham bem. Ao estender véus e ao apor selos, eles vos clamam para que busqueis o que está por trás dos véus e perscruteis o que está por baixo dos selos.

Para penetrar os véus, necessitais de outro olho que não o dotado de pestanas, pálpebra e sobrancelha.

Para romper os selos, necessitais de outro lábio que não o familiar pedaço de carne que tendes por baixo do nariz.

Em primeiro lugar, *vede* o olho mesmo corretamente, se quiserdes ver corretamente as outras coisas. Não com o olho, mas através dele deveis dirigir vosso olhar, de modo que possais ver todas as coisas que estão além dele.

Que primeiro os lábios e a língua falem corretamente, se quiserdes falar corretamente as outras palavras. Não com os lábios e a língua, mas através deles deveis falar, de modo que possais espargir todas as palavras que estão além deles.

A menos que vejais e faleis corretamente, nada mais vereis senão a vós mesmos e nada mais pronunciareis senão a vós mesmos, porque em todas as coisas e além de todas as coisas, em todas as palavras e além de todas as palavras, estais vós — o que vê e o que fala.

Se, pois, vosso mundo é um enigma indecifrável, é porque vós mesmos sois enigmas indecifráveis. Se vosso falar é uma confusão deplorável, é porque vós sois essa confusão deplorável.

Deixai as coisas como elas são e não vos esforceis para modificá-las, porque elas parecem ser o que parecem devido a parecerdes ser o que pareceis. Elas não veem nem falam se vós não lhes emprestardes vista e fala. Se elas vos falam asperamente, atentai unicamente para vossa língua. Se vos parecem feias, examinai em primeiro e último lugar vosso olho.

Não peçais às coisas que deixem cair seus véus. Desvelai a vós mesmos, e as coisas vos serão desveladas. Não peçais às coisas que rompam seus selos. Rompei os selos de vosso próprio ser, e todas as coisas perderão os seus.

A chave para remover os véus de si mesmo e romper os próprios selos é uma palavra que deveis guardar eternamente em vossos lábios. É a menor e a maior de todas as palavras. Mirdad denominou-a o Verbo[13] Criador.

Naronda: O Mestre calou-se, e profundo silêncio, no qual vibrava intensa expectativa, desceu sobre todos. Finalmente Micayon falou com apaixonada impaciência.

Micayon: Nossos ouvidos estão ansiosos pelo Verbo. Nosso coração anseia pela chave. Continua, Mirdad, continua.

13: *Word*, em inglês, significa palavra e ao mesmo tempo encerra etimologicamente o significado de verbo (N.T.).

CAPÍTULO II

Do Verbo Criador
O *Eu* é a Fonte e o Centro
de todas as coisas

MIRDAD: Quando disserdes *eu*, acrescentai imediatamente no coração "Deus seja meu refúgio contra as misérias do *eu* e meu guia para a bem-aventurança do *eu*", pois nessa palavra, embora tão pequena, está encerrada a alma de todas as outras. Descerrai-a a qualquer momento, e vossa boca será perfumada, e vossa língua se cobrirá de mel; cada palavra pronunciada ressumará as delícias da Vida. Deixai-a fechada, e pútrida será a boca, e amarga, a língua; de cada palavra pronunciada destilará o pus da Morte.

Porque *eu*, ó monges, é o Verbo Criador. E a não ser que vos apodereis de sua força mágica, a menos que sejais mestres desse poder, gemereis quando deveríeis cantar, estareis em guerra quando deveríeis estar em paz, recolher-vos-eis amedrontados em escuros cárceres quando deveríeis estar pairando em luz.

Vosso *eu* nada mais é do que vossa consciência de ser, silente e incorpórea, verbalizada e corporificada. É o inaudível em vós tornado audível; o invisível tornado visível, para que, vendo, possais ver o invisível e, ouvindo, possais ouvir o inaudível. Ainda estais limitados pelos olhos e pelos ouvidos, e a menos que vejais com os olhos e ouçais com os ouvidos, nada vereis e nada ouvireis.

Basta que penseis *eu,* e um mar de pensamentos se agitará em vossa cabeça. Esse mar é uma criação de vosso *eu,* que é, ao mesmo tempo, o pensador e o pensamento. Se tendes pensamentos que aferroam, perfuram ou diláceram, sabei que o único responsável por prové-los de ferrão, presas e garras é vosso *eu* dentro de vós.

Mirdad deseja que saibais também que aquele que provê pode igualmente retirar a provisão.

Basta que sintais *eu* para dar vazão a um poço de sentimentos no coração. Esse poço é uma criação de vosso eu, que é, ao mesmo tempo, aquilo que sente e aquilo que é sentido. Se existem urzes espinhosas em vosso coração, foi unicamente o *eu* em vós que lá as arraigou.

Mirdad quer que saibais que quem pode facilmente arraigar também pode facilmente desarraigar.

Pelo mero pronunciar *eu,* trazeis à vida uma poderosa hoste de palavras, cada qual símbolo de uma coisa; cada coisa, símbolo de um mundo; cada mundo, parte de um universo. Esse universo é a criação de vosso *eu,* que é, ao mesmo tempo, o criador e a criatura. Se houver elementais malignos em vosso universo, podeis estar certos de que somente vosso *eu* foi quem os criou.

Mirdad quer que saibais que quem cria também pode anular a criação.

Tal como o criador, assim é a criatura. Poderá alguém criar algo superior a si mesmo? Ou criar algo inferior a si próprio? Só a si mesmo — nem mais, nem menos — o criador procria.

O *eu* é uma fonte da qual tudo flui e à qual tudo reflui. Tal qual a fonte, assim é a correnteza.

O *eu* é uma varinha de condão. Não pode, porém, a varinha fazer surgir coisa alguma que não esteja no mágico. Tal como é o mágico, assim são os produtos de sua varinha.

Conforme for vossa Consciência, assim será vosso *eu*. Conforme for vosso *eu*, assim será vosso mundo. Se vosso *eu* for claro e tiver um significado definido, vosso mundo será claro e terá um significado definido; então vossas palavras jamais serão confusas, e vossas obras jamais serão ninhos de dor. Se vosso *eu* for nebuloso e incerto, vosso mundo será nebuloso e incerto; então vossas palavras serão apenas embaraços, e vossas obras serão incubadoras de dor.

Se vosso *eu* for constante e paciente, vosso mundo será constante e paciente; sereis, então, mais poderosos do que o Tempo e mais espaçosos do que o Espaço. Se vosso *eu* for passageiro e inconstante, também vosso mundo será passageiro e inconstante; e vós sereis apenas tênue névoa exalada suavemente pelo sol.

Se vosso *eu* for uno, vosso mundo será uno; então estareis em paz eterna com todas as hostes celestiais e com os habitantes da terra. Se vosso *eu* for múltiplo, vosso mundo será múltiplo; então estareis em perpétua guerra convosco e com todas as criaturas dos domínios imensuráveis de Deus.

O *eu* é o centro de vossa vida, de onde irradiam as coisas que constituem a totalidade de vosso mundo e para o qual elas convergem. Se ele for firme, vosso mundo será firme; então não haverá forças em cima ou embaixo que possam desviar-vos para a direita ou para a esquerda. Se for instável, vosso mundo será instável; então sereis uma folha indefesa colhida pelo colérico redemoinho de vento.

E vede! Sem dúvida vosso mundo é estável, porém somente na instabilidade. Vosso mundo é certo, mas unicamente na incerteza. É constante, mas tão somente na inconstância; e é uno, mas apenas na multiplicidade.

Vosso é um mundo em que os berços se tornam sepulcros, e os sepulcros se tornam berços; em que os dias devoram as noites, e as noites regurgitam os dias; de paz, declarando guerra, e de guerra, implorando paz; em que os sorrisos flutuam sobre as lágrimas, e as lágrimas brilham nos sorrisos.

Vosso é um mundo em constante trabalho de parto, em que a parteira é a Morte.

Vosso é um mundo de peneiras e de crivos, no qual não há duas peneiras ou dois crivos iguais. Estais sempre vos esforçando em peneirar o que não pode ser peneirado e em passar pelo crivo o que não pode ser passado por ele.

Vosso é um mundo dividido contra si mesmo, porque o *eu* em vós assim está dividido.

Vosso é um mundo de barreiras e de cercas, porque o *eu* em vós é um *eu* de barreiras e cercas. Ele põe uma cerca para que o que lhe é estranho não entre e estabelece outra para que o que lhe é afim não saia. No entanto, o que está para fora da cerca sempre irrompe para o lado de dentro, e o que está dentro sempre irrompe para o lado de fora, pois sendo ambos prole da mesma mãe — precisamente vosso *eu* — não podem ser separados.

E vós, em vez de vos regozijardes com sua feliz união, tornais a cingir-vos para o infrutífero trabalho de separar o inseparável. Em vez de soldar a rachadura em vosso *eu*, desbastais vossa vida na esperança de torná-la uma cunha com a qual possais separar o que pensais ser vosso *eu* do que julgais ser outra coisa além de vosso *eu*.

Eis por que as palavras dos homens são embebidas em veneno. Eis por que seus dias são ébrios de tristeza. Eis por que suas noites são tão atormentadas pela dor.

Mirdad, ó monges, soldará a rachadura em vosso *eu* para que possais viver em paz convosco mesmos, com todos os homens, com todo o Universo.

Mirdad extrairá o veneno de vosso *eu* para que possais provar a doçura da Compreensão.

Mirdad vos ensinará a pesardes vosso eu para que conheçais o júbilo da Balança[14] Perfeita.

Naronda: Novamente o Mestre fez uma pausa, e mais uma vez profundo silêncio caiu sobre todos. Mais uma vez Micayon quebrou o silêncio, dizendo:

Micayon: Muito tentadoras são tuas palavras, Mirdad. Abrem várias portas, porém deixam-nos no limiar. Guia-nos além, faze-nos entrar.

14: *Balance*, em inglês, significa ao mesmo tempo balança e equilíbrio (N.T.).

CAPÍTULO III

O Trino Santo
E a Balança Perfeita

MIRDAD: Embora cada um de vós esteja centralizado em seu próprio *eu*, estais, todos vós, concentrados em um *eu* — de fato, no *Eu* único de Deus.

O *Eu* de Deus, ó monges, é o único e eterno verbo de Deus. Nele, Deus — a Suprema Consciência — se torna manifesto. Sem ele, Ele seria um silêncio absoluto. Por ele é o Criador autocriado. Por ele o Uno amorfo assumiu múltiplas formas, mediante as quais as criaturas passarão novamente à condição amorfa.

Para sentir-Se, para pensar-Se, para falar-Se, Deus não precisa mais do que pronunciar *Eu*. Consequentemente, *Eu* é Sua única palavra. Portanto esse é o VERBO.

Quando Deus diz *Eu*, nada fica por dizer. Mundos vistos e mundos não vistos, as coisas nascidas e as que aguardam o nascimento, o tempo que está passando e o tempo que ainda não passou — tudo, tudo, sem excetuar um só grão de areia, está pronunciado e impresso nesse Verbo. Por ele foram criadas todas as coisas. Por ele são todas as coisas mantidas.

A não ser que signifique algo, uma palavra não passa de um eco no vazio.

A não ser que seu significado seja eternamente o mesmo, não será mais do que câncer na garganta e vesículas na língua.

O Verbo de Deus não é um eco no vazio, nem um câncer na garganta, nem vesículas na língua, a não ser para aqueles desprovidos de Compreensão; pois a Compreensão é o Espírito Santo que vivifica o Verbo e o liga à Consciência. É o travessão da Balança Eterna, cujos dois pratos são A Consciência Primeva e O Verbo.

A Consciência Primeva — o Verbo — o Espírito de Compreensão — contemplai, ó monges, A TRINDADE DO SER. Os Três que são Um, o Um que é Três; coiguais, coabrangentes, coeternos; em autoequilíbrio, autossapiência, autorrealização, sem nunca aumentar nem diminuir. Sempre em paz. Sempre o mesmo. Essa é, ó monges, A BALANÇA PERFEITA.

O Homem dá-lhe o nome de Deus, embora seja extraordinariamente prodigiosa para que se lhe dê um nome. Não obstante, santo é seu nome, e santa é a língua que o conserva santo.

Pois bem, que é o Homem senão a prole desse Deus? Pode ser ele diferente de Deus? Não está o carvalho encerrado na bolota? Não está Deus envolto no Homem?

Também o Homem é, pois, um trino santo; uma consciência, um verbo e uma compreensão. Também o Homem é um criador tal como seu Deus. Seu *eu* é sua criação. Por que não é ele equilibrado como seu Deus?

Se quereis saber a resposta desse enigma, atentai para o que Mirdad revelará.

CAPÍTULO IV

O Homem é um Deus envolto em Faixas[11]

O Homem é um deus envolto em faixas. O tempo é uma faixa. O espaço é uma faixa. A carne é uma faixa, e do mesmo modo são faixas todos os sentidos e as coisas por ele percebidas. A mãe sabe que as faixas não são o bebê. O bebê, porém, não o sabe.

O Homem ainda é muito consciente de suas faixas, que mudam de dia para dia e de tempos em tempos. Em vista disso, sua consciência está constantemente fluindo, e a palavra pela qual sua consciência se expressa nunca é clara e com significado definido, e, portanto, sua compreensão é nebulosa, e sua vida está em desequilíbrio. É a confusão três vezes confusa.

E eis que o Homem suplica por socorro. Seus gritos de agonia reverberam pelos éons. O ar está carregado com seus gemidos. O mar está salgado com suas lágrimas. A terra está sulcada por suas sepulturas. Os céus estão ensurdecidos por

---

11: Faixas, neste caso, referem-se ao antigo costume de envolver os bebês em longas faixas de pano para mantê-los firmes e sustentar-lhes a coluna (N.T.).

suas preces; e tudo porque ele ainda não sabe o significado de seu *eu*, que é, para ele, igualmente as faixas e a criança enfaixada.

Ao dizer *eu*, o Homem fratura o Verbo em duas partes: suas faixas, uma delas; o ser imortal de Deus, a outra. Divide realmente o Homem o Indivisível? Deus nos guarde. Nenhum poder — nem mesmo o de Deus — pode dividir o Indivisível. É a imaturidade do Homem que o faz imaginar a divisão; e o Homem, o recém-nascido, cinge-se para a batalha e põe-se em guerra contra o Ser Oniabarcante e infinito, julgando-o inimigo de seu ser.

Nessa guerra díspar, o Homem rasga suas carnes em tiras e derrama seu sangue em torrentes, enquanto Deus, o Pai-Mãe, amorosamente observa, pois Ele bem sabe que o Homem está somente rasgando seus pesados véus e derramando unicamente o amargo fel que o cega para sua unidade com o Uno.

É este o destino do Homem — lutar, sangrar, desfalecer, e afinal despertar e soldar a fratura no *eu* com a própria carne, selando-a com o próprio sangue.

Portanto, ó monges, fostes avisados — e mui sabiamente avisados — para serdes prudentes no uso do *eu*, pois, enquanto com isso vos referirdes às faixas, e não exclusivamente ao bebê, enquanto for para vós mais peneira do que cadinho, até então estareis passando pela peneira vossa vaidade unicamente para colherdes a Morte com toda a sua ninhada de dores e agonias.

CAPÍTULO V

De Cadinhos e de Peneiras
O Verbo de Deus e o do Homem

O Verbo de Deus é um cadinho. O que ele cria, ele derrete e funde em um, nada aceitando como valioso, nada rejeitando como sem valor. Como possui o Espírito de Compreensão, sabe muito bem que ele e sua criação são unos, que rejeitar uma parte é rejeitar o todo, que rejeitar o todo é rejeitar-se a si mesmo. Consequentemente, ele tem sempre o mesmo objetivo e significado.

Já o verbo do Homem é como uma peneira. Ele define aquilo que cria, acolhendo e rejeitando. Está sempre tomando este como amigo e expulsando aquele como inimigo. Mas frequentemente o amigo de ontem torna-se o inimigo de hoje; o inimigo de hoje, o amigo de amanhã.

Assim se desencadeia a cruel e infrutífera guerra do Homem contra si mesmo. Tudo porque falta ao Homem o Espírito Santo, o único que pode fazê-lo compreender que ele e sua criação são uma e a mesma coisa; que expulsar o inimigo é expulsar o amigo, pois ambas as palavras — "inimigo" e "amigo" — são criações de seu verbo — seu *eu*.

Alguém ou algo certamente gosta e acolhe como sendo bom aquilo de que não gostais e expulsais como sendo mau. Pode uma mesma coisa ser, ao mesmo tempo, duas que se excluam mutuamente? Ela não é nem uma coisa nem outra, exceto que vosso *eu* a fez má e outro *eu* a fez boa.

Não vos disse que aquele que pode criar pode também anular a criação? Tal como criastes um inimigo, podeis anulá-lo e recriá-lo como amigo. Para isso, vosso *eu* precisa ser um cadinho. Para isso necessitais ter o Espírito de Compreensão.

Por isso vos digo que, se orardes por algo, orai, em primeiro e último lugar, por Compreensão.

Nunca sejais peneiradores, meus companheiros, pois o Verbo de Deus é Vida, e a Vida é um cadinho no qual tudo se torna uma unidade indivisível; tudo fica em perfeito equilíbrio, e tudo é digno de seu autor — a Trindade Santa. Quão mais digna de vós ela não deve ser?

Nunca sejais peneiradores, meus companheiros, e vossa estatura será tão imensa, tão onipenetrante e tão oniabrangente, que não haverá peneiras que possam vos conter.

Nunca sejais peneiradores, meus companheiros; procurai em primeiro lugar o conhecimento do Verbo para que possais conhecer vosso próprio verbo. E, quando conhecerdes vosso verbo, lançareis ao fogo todas as vossas peneiras, pois vosso verbo e o Verbo de Deus são unos, exceto pelo fato de que o vosso ainda está sob véus.

Mirdad gostaria que jogásseis fora os véus.

O Verbo de Deus é Tempo eternal e Espaço imensurável. Houve acaso alguma época em que não estivésseis com Deus? E há algum lugar em que não estejais em Deus? Por que acorrentais, então, a eternidade com horas e estações? Por que confinais o Espaço em polegadas e milhas?

O Verbo de Deus é Vida inata, portanto, imortal. Por que é a vossa, então, cercada de nascimento e morte? Não estais vós vivendo unicamente segundo a vida de Deus? Pode o Imortal ser a causa da Morte?

O Verbo de Deus é oniabarcante. Nele não há cercas nem barreiras. Por que vosso verbo está lacerado com cercas e barreiras?

Digo-vos que vossa própria carne e vossos próprios ossos não são somente vossos ossos e vossa carne. Inumeráveis são os que convosco mergulham as mãos nas mesmas panelas de carne de terra e céu, de onde vêm e para onde retornam vossos ossos e vossa carne.

Nem é a luz de vossos olhos somente vossa luz. Ela é também a luz de todos os que convosco compartilham o Sol. Que poderiam vossos olhos contemplar de mim, se não fosse a luz em mim? É *minha* luz que me vê em vossos olhos. É *vossa* luz que vos vê em meus olhos. Fosse eu completa treva, vossos olhos, ao me contemplarem, seriam completa treva.

Nem é o alento, em vosso peito, somente vosso. Todos os que respiram ou já respiraram o ar estão respirando em vosso peito. Não é o alento de Adão que ainda enche vossos pulmões? Não é o coração de Adão que ainda pulsa em vosso coração?

Nem são vossos pensamentos somente vossos. O mar dos pensamentos comuns de fato reclama-os como a ele pertencentes; assim também o fazem todos os seres pensantes que convosco compartilham esse mar.

Nem são vossos sonhos somente vossos. Todo o Universo está sonhando em vossos sonhos.

Nem é vossa casa somente vossa. Ela é também a habitação de vosso hóspede, da mosca, do rato, do gato, bem como de todas as criaturas que compartilham a casa convosco.

Cuidado, pois, com as cercas. Quando cercais, pondes o Engano para dentro delas e a Verdade para fora. Quando vos voltais para vos verdes dentro da cerca, encontrai-vos face a face com a Morte, que é o Engano com outro nome.

Inseparável de Deus, ó monges, é o Homem. Inseparável, pois, dos seus semelhantes e de todas as criaturas provenientes do Verbo.

O Verbo é o oceano, vós, as nuvens. E uma nuvem seria nuvem sem o oceano que ela contém? Na verdade, seria tola a nuvem que desperdiçasse sua vida esforçando-se para firmar-se no espaço, tentando manter eternamente sua forma e sua identidade. O que colheria ela desse esforço tão tolo, senão desilusões e amarga vaidade? A não ser que se perca, não poderá achar-se. A não ser que morra e desapareça como nuvem, não poderá encontrar o oceano em si mesma, o qual é seu único ser.

Uma nuvem portadora de Deus é o Homem. A não ser que ele esvazie a si mesmo, não poderá encontrar-se. Ah, a alegria de estar vazio!

A não ser que vos percais para sempre no Verbo, não podereis compreender o verbo que sois — nem mesmo vosso *eu*. Ah, a alegria de se perder!

Mais uma vez vos digo: orai por Compreensão. Quando a Sagrada Compreensão encontrar vosso coração, nada haverá, na imensidade de Deus, que não vibre para vós uma alegre resposta todas as vezes que pronunciardes *eu*.

Então, a própria Morte será em vossas mãos apenas uma arma com a qual vencereis a Morte. E a Vida concederá a vosso coração a chave de seu coração ilimitado, a chave áurea do Amor.

Shamadam: Nunca sonhei que tanta sabedoria pudesse verter de um pano de pratos e de uma vassoura (aludindo à posição de Mirdad como servo).

Mirdad: Tudo é manancial de sabedoria para o sábio. Para quem não é sábio, a sabedoria mesma é tolice.

Shamadam: Tens uma língua hábil, sem dúvida. É de se admirar que a tenhas freado por tanto tempo; se bem que tuas palavras sejam muito difíceis de se ouvir.

Mirdad: Minhas palavras são fáceis, Shamadam. É teu ouvido que é duro. Infelizes dos que, ouvindo, não ouvem, e infelizes dos que, vendo, não veem.

Shamadam: Eu ouço e vejo muito bem, talvez demais. Não ouvirei, no entanto, essa tolice de que Shamadam é o mesmo que Mirdad; de que o mestre e o servo são iguais.

CAPÍTULO VI

Do Mestre e do Servo
Os companheiros dão sua opinião sobre Mirdad

MIRDAD: Mirdad não é o único servo de Shamadam. Podes tu, Shamadam, contar teus servos?

Haverá uma águia ou um falcão; haverá um cedro ou um carvalho; haverá uma montanha ou uma estrela; haverá um oceano ou um lago; haverá um anjo ou um rei que não sirvam a Shamadam? Não está o mundo todo a serviço de Shamadam?

Nem é Mirdad o único mestre de Shamadam. Podes tu, Shamadam, contar teus mestres?

Haverá um besouro ou uma pulga; haverá uma coruja ou um pardal; haverá um espinho ou um sarmento; haverá um seixo ou uma concha; haverá uma gota de orvalho ou uma lagoa; haverá um mendigo ou um perdulário que não sejam servidos por Shamadam? Não está Shamadam a serviço do mundo todo? Ao fazer seu trabalho, o mundo faz também o teu. E ao fazeres o teu, fazes também o trabalho do mundo.

Sim, a cabeça é mestra do ventre. E não menos mestre da cabeça é o ventre.

Nada pode servir a não ser que seja servido, mediante o serviço. E nada pode ser servido exceto aquilo que sirva o serviço.

Eu te digo, Shamadam, e a todos vós: o servo é o mestre do mestre; o mestre é o servo do servo. Que o servo não curve a cerviz, e que não a levante o mestre. Extingui o orgulho mortal do mestre. Arrancai a vergonhosa vergonha do servo.

Lembrai-vos de que o Verbo é uno, e vós, como sílabas do Verbo, em realidade sois um. Nenhuma sílaba é mais nobre nem mais essencial do que outra. As muitas sílabas são apenas uma única — de fato, O Verbo. E deveis tornar-vos esses monossílabos, se quiserdes conhecer o êxtase fugaz desse inefável Amor do Ser, que é um amor a todos — a tudo.

Não te falo agora como um mestre a seu servo nem como um servo a seu mestre, Shamadam, mas como um irmão a um irmão. Por que estás assim tão conturbado por minhas palavras?

Refuta-me, se assim o queres. Eu não te refutarei. Não te disse já, há pouco, que a carne que me cobre os ossos é a mesma que cobre os teus? Jamais te apunhalaria, para que não viesse eu a sangrar. Embainha, pois, a língua, se não queres derramar teu sangue. Descerra o coração para mim se o queres ter fechado a todo sofrimento.

Muito melhor é não ter língua do que ter uma cujas palavras são laços e urzes. As palavras sempre ferirão e enredarão, até que a língua seja purificada pela Sagrada Compreensão.

Peço-vos que examineis o vosso coração, ó monges. Peço-vos que derrubeis todas as barreiras que houver dentro de vós. Peço-vos que atireis fora todas as faixas com que vosso eu está ainda enfaixado, a fim de que possais vê-lo uno com o Verbo de Deus, eternamente em paz consigo mesmo e com todos os mundos que dele emanam.

Assim ensinei eu a Noé.

Assim eu vos ensino.

Naronda: E assim dizendo, retirou-se Mirdad para sua cela, deixando-nos imensamente desconcertados. Depois de guardarem por algum tempo um silêncio quase esmagador, começaram os companheiros a debandar, dando, cada qual, ao retirar-se, sua opinião sobre Mirdad.

Shamadam: Um mendigo sonhando com uma coroa real.

Micayon: Ele é o Clandestino. Não disse ele: "Assim ensinei eu a Noé"?

Abimar: Um carretel de linha embaraçada.

Micaster: Uma estrela de outro firmamento.

Bennoon: Ele é uma mente poderosa, mas perdida em contradições.

Zamora: Uma harpa maravilhosa tocada em uma clave que desconhecemos.

Himbal: Uma palavra errante em busca de um ouvido amigo.

CAPÍTULO VII

Micayon e Naronda confabulam à noite com Mirdad e este os avisa do Dilúvio que está para vir, rogando-lhes que estejam Preparados

Naronda: Cerca da segunda hora da terceira vigília, senti que a porta de minha cela se abria e ouvi Micayon sussurrando para mim:

— Estás acordado, Naronda?
— O sono não visitou minha cela esta noite, Micayon.
— Nem se aninhou em minhas pálpebras. E *ele* — achas que ele dorme?
— Falas do Mestre?
— Já o chamas de Mestre? Talvez ele o seja. Não poderei achar descanso enquanto não me certificar de sua identidade. Vamos procurá-lo imediatamente.

E, andando nas pontas dos pés, saímos de minha cela e entramos na do Mestre. Uma réstia de luar prateado, entrando por uma fresta no alto da parede, iluminava seu humilde leito, estendido cuidadosamente no solo. Evidentemente não fora ocupado naquela noite. Aquele a quem procurávamos não se encontrava ali onde o buscáramos.

Confusos, envergonhados e desapontados, estávamos a ponto de volver sobre nossos passos quando, subitamente, sua voz amena chegou-nos aos ouvidos, antes que nossos olhos pudessem perceber seu gracioso semblante à porta.

Mirdad: Não vos conturbeis e sentai-vos em paz. No cume das montanhas, a noite rapidamente se dissolve em alvorada. A hora é propícia para a dissolução.

Micayon: (Perplexo e balbuciante) Perdoai-nos nossa intrusão. Não dormimos a noite toda.

Mirdad: Um autoesquecimento muito breve é o sono. Melhor é afogar o ser, desperto, do que bebericar o esquecimento em dedais de sono. Que buscáveis de Mirdad?

Micayon: Vínhamos para saber quem sois.

Mirdad: Quando estou com os homens, sou um deus. Quando estou com Deus, sou um homem. Compreendeste, Micayon?

Micayon: Dizeis uma blasfêmia.

Mirdad: Contra o Deus de Micayon — talvez. Contra o Deus de Mirdad — jamais.

Micayon: Haverá tantos deuses como há homens para que faleis de um para Micayon e outro para Mirdad?

Mirdad: Deus não é muitos, Deus é um. São, porém, muitas e diversas as sombras dos homens. Enquanto os homens projetarem sombra na terra, o deus de cada homem não será maior do que sua sombra. Só os que não têm sombra estão totalmente na luz. Só os que não têm sombra conhecem o Deus único, porque Deus é Luz, e só a Luz pode conhecer a Luz.

Micayon: Não nos faleis por enigmas. Ainda é muito fraca nossa compreensão.

Mirdad: Tudo é enigma para o homem que segue uma sombra, pois esse homem caminha em luz emprestada e, portanto, tropeça na própria sombra. Quando vos tornardes flamejantes de Compreensão, já não projetareis sombra.

No entanto, em breve virá a hora em que Mirdad reunirá vossas sombras e as queimará no Sol. Então, aquilo que para vós é agora um enigma irromperá em vós como uma verdade fulgurante, demasiado evidente para que necessite explicação.

Micayon: Não nos direis quem sois? Se soubermos vosso nome — vosso verdadeiro nome — vossa pátria e vossa linhagem, talvez possamos melhor compreender-vos.

MIRDAD: Ah, Micayon! É como forçar uma águia a entrar no ovo em que foi chocada tentar acorrentar Mirdad com vossas cadeias e vendá-lo com vossos véus. Que nome pode designar um Homem que já não está "na casca"? Que pátria pode conter um Homem em quem um universo está contido? Que linhagem pode reivindicar um Homem cujo único ancestral é Deus?

Para bem me conheceres, Micayon, é preciso que antes conheças bem Micayon.

Micayon: Talvez sejais um mito vestido com a aparência de um homem.

MIRDAD: Sim, algum dia dirão que Mirdad era nada mais que um mito. Mas dentro em pouco sabereis quão *real* é este mito — muito mais real do que qualquer realidade dos homens.

O mundo agora não está consciente de Mirdad. Mirdad está sempre consciente do mundo. Em breve o mundo tomará consciência de Mirdad.

Micayon: Sois, por acaso, o Clandestino?

MIRDAD: Sou o clandestino em toda arca que enfrenta o dilúvio da ilusão. Tomo nas mãos o leme todas as vezes que o capitão pede meu auxílio. Vosso coração, embora não o saibais, chamou há muito tempo por mim, em alta voz. E vede! Mirdad aqui está para guiar-vos em segurança, para que vós, por vossa vez, possais guiar o mundo para fora do maior dilúvio de que jamais se teve notícia.

Micayon: Outro dilúvio?

Mirdad: Não para devastar a Terra pelas águas, mas para revelar o Céu na Terra. Não para apagar as pegadas do Homem, mas para descobrir Deus no Homem.

Micayon: O arco-íris matizou nosso céu há poucos dias. Como falais de outro dilúvio?

Mirdad: Mais devastador do que o dilúvio de Noé será o dilúvio que já está vociferando.

Uma terra coberta de águas é uma terra prenhe de promessas de Primavera. Não, porém, uma terra cozida no seu próprio sangue febril.

Micayon: Devemos, então, esperar pelo fim? Porque nos foi dito que a vinda do Clandestino seria o sinal do fim.

Mirdad: Não temais pela Terra. Ela é muito jovem, e seus seios, exuberantes em demasia. Mais gerações do que podeis contar serão por ela amamentadas.

Também não estejais ansiosos pelo Homem, o mestre da Terra, pois ele é indestrutível.

Sim, indelével é o Homem. Sim, inexaurível é o Homem. Ele entrará na forja um homem, mas de lá sairá um deus.

Mantende-vos firmes. Aprestai-vos. Mantende em jejum os olhos, os ouvidos e a língua, de modo que o coração possa conhecer a fome santa que, uma vez aplacada, vos deixará saciados por toda a eternidade.

E precisais estar sempre saciados para que possais saciar os famintos. Precisais estar sempre fortes e firmes para amparardes os vacilantes e fracos. Precisais estar sempre preparados para a tempestade para que possais dar guarida a todos os desabrigados acossados pela tempestade. Precisais estar sempre luminosos para poderdes guiar os andarilhos nas trevas.

Os fracos são uma carga para os fracos, mas, para os fortes, são um agradável encargo. Procurai os fracos; sua fraqueza é vossa força.

Os famintos são somente fome para os famintos, mas, para os saciados, eles são um alívio bem-vindo. Procurai os famintos; vossa saciedade é a necessidade deles.

Os cegos são pedras de tropeço para os cegos; são, porém, marcos miliários para os que enxergam. Procurai os cegos; suas trevas são vossa luz.

Naronda: Nesse ponto soou a trombeta chamando para a oração da manhã.

MIRDAD: Zamora anuncia um novo dia com sua trombeta — mais um milagre para operardes com bocejos entre o sentar e o levantar; enchendo e esvaziando o estômago, aguçando vossa língua com palavras vãs, fazendo muitas coisas que melhor seria se não fossem feitas e deixando de fazer outras que precisam ser feitas.

Micayon: Não devemos ir à oração, então?

MIRDAD: Ide! Orai conforme vos tem sido ensinado a orar. Orai de qualquer forma — por qualquer coisa. Ide! Fazei tudo que vos tem sido ordenado fazer, até que vós vos torneis mestres e senhores de vós mesmos, até que aprendais a fazer de cada palavra uma oração e de cada ação uma oblação. Ide em paz. Mirdad tem de cuidar para que vossa refeição matinal seja abundante e aprazível.

CAPÍTULO VIII

Os Sete buscam Mirdad no Ninho da Águia onde ele os adverte para nada fazerem no escuro

Naronda: Nesse dia, Micayon e eu não comparecemos às devoções matinais. Shamadam notou nossa ausência e, tendo sabido de nossa visita noturna ao Mestre, ficou grandemente aborrecido. Não demonstrou, porém, seu aborrecimento, e aguardou outra oportunidade.

Os demais companheiros ficaram muito intrigados com nosso comportamento e logo quiseram saber qual a razão. Alguns pensaram que havia sido o Mestre quem nos aconselhara a não orar. Outros fizeram curiosas conjecturas sobre sua identidade, dizendo que ele nos havia chamado à noite para dar-se a conhecer somente a nós. Ninguém acreditava que ele fosse o Clandestino. Todos, porém, queriam vê-lo e inquiri-lo sobre muitas coisas.

Tinha o Mestre, por costume, quando livre de seus deveres na Arca, passar as horas na gruta que se projetava sobre o Abismo Negro, gruta essa que era conhecida por nós pelo nome de Ninho da Águia. Lá fomos procurá-lo, todos nós, exceto Shamadam, na tarde desse dia, e o encontramos em profunda meditação. Seu rosto estava iluminado, e resplandeceu mais ainda quando, ao levantar os olhos, nos viu.

MIRDAD: Quão rapidamente encontrastes vosso ninho! Mirdad regozija-se por vós.

Abimar: A Arca é nosso ninho. Como dizes que esta gruta é nosso ninho?

MIRDAD: A Arca já foi um Ninho da Águia.

Abimar: E agora, o que é?

MIRDAD: Infelizmente, a toca de uma toupeira!

Abimar: Oito toupeiras felizes, e com Mirdad são nove!

MIRDAD: Como é fácil zombar e como é difícil compreender! No entanto, a zombaria sempre zomba do zombador. Por que exercitar a tua língua em vão?

Abimar: Tu é que zombas de nós ao chamar-nos de toupeiras. Desde quando merecemos esse título? Não temos conservado aceso o fogo de Noé? Esta Arca, que foi antigamente um tabernáculo para um punhado de mendigos, não foi transformada por nós em um local mais rico do que o mais rico palácio? Não lhe ampliamos as fronteiras até haver-se tornado um poderoso reino? Se somos toupeiras, realmente somos mestres-construtores de tocas.

MIRDAD: Está aceso o fogo de Noé, mas somente no altar. De que vale isso, a não ser que sejais vós mesmos o altar e vosso coração o óleo e a lenha?

A Arca está agora sobrecarregada de ouro e prata, e por isso range e aderna fortemente, pronta para ir a pique. Antigamente a arca-mãe estava sobrecarregada de Vida e não levava peso morto; por isso, as profundezas eram impotentes contra ela.

Cuidado com o peso morto, meus companheiros. Tudo é peso morto para o homem que tem firme fé em sua divindade.

Ele contém em si mesmo o mundo, porém não carrega o peso do mundo.

Digo-vos que, a não ser que deiteis fora vosso ouro e vossa prata, eles vos arrastarão para o fundo, pois o Homem é preso por tudo aquilo que agarra. Deixai de agarrar as coisas, se não quiserdes ser presos por suas garras.

Não coloqueis preço nas coisas, pois a menor delas é inestimável. Vós pondes preço a um pão. Por que não dar um preço ao Sol, ao Ar, à Terra, ao Mar, ao suor e à engenhosidade do Homem, sem os quais não haveria pão?

Não coloqueis preço nas coisas, se não quiserdes pôr um preço em vossa vida. A vida do Homem não é mais cara do que aquilo que lhe é caro. Tende cuidado em não considerar vossa vida, cujo preço é incalculável, tão barata quanto o ouro.

Ampliastes em léguas as fronteiras da Arca. Mesmo que as tivésseis levado até os confins da Terra, ainda estaríeis enclausurados e confinados. Mirdad gostaria de ver-vos engalanados com o infinito. O mar não é mais do que uma gota encerrada pela terra; e, no entanto, ele engalana a terra. Quão mais infinito do que o mar não é o Homem? Não sejais infantis a ponto de o medir da cabeça aos pés e pensar que encontrastes seus limites.

Podeis ser mestres-construtores de tocas, conforme disse Abimar, mas somente como a toupeira que trabalha no escuro. Quanto mais elaborados são seus labirintos, mais longe do Sol está sua face. Conheço vossos labirintos, Abimar. Vós sois um punhado, como dissestes, supostamente desligados de todas as tentações do mundo e consagrados a Deus. No entanto, transviadas e escuras são as veredas que vos ligam ao mundo. Não escuto vossas paixões silvarem e agitarem-se? Não vejo vossas cobiças rastejarem e contorcerem-se sobre o próprio altar de vosso Deus? Podeis ser um punhado, mas, oh, quantas legiões há nesse punhado!

Fôsseis vós realmente os mestres-construtores de tocas que dissestes ser, há muito teríeis cavado um caminho, não só através da terra, mas também através do sol e de todas as outras esferas que giram no firmamento.

Deixai que as toupeiras cavem suas escuras galerias com o focinho e as patas. Vós não precisais mover uma pestana para encontrar o caminho mais propício para vós. Sentai-vos neste ninho e projetai vossa Imaginação. Ela é vosso divino guia para os maravilhosos tesouros do ser ínvio que é vosso reino. Segui vosso guia com coração forte e impávido. Suas pegadas, mesmo que estejam na mais longínqua estrela, servir-vos-ão de sinal e de garantia de que já fostes arraigados lá, pois não podeis imaginar algo a menos que ele esteja em vós ou seja parte de vós.

Uma árvore não pode espalhar-se além de suas raízes. O homem, porém, pode expandir-se até o infinito, pois está arraigado na eternidade.

Não determineis limites para vós. Expandi-vos até não haver regiões em que não estejais. Expandi-vos até que o mundo todo esteja onde quer que estejais. Expandi-vos até encontrardes Deus onde quer que vos encontreis. Expandi--vos. Expandi-vos!

Nada façais no escuro, supondo que a escuridão seja um manto impenetrável. Se não vos envergonhais dos homens cegados pelas trevas, envergonhai-vos, ao menos, do vaga--lume e do morcego.

Não há trevas, meus companheiros. Há graus de luz diferenciados para satisfazer as necessidades de cada criatura do mundo. Vosso dia claro é crepúsculo para a fênix.

Vossa noite fechada é dia claro para a rã. Se as trevas podem ser descobertas, como poderão elas servir de coberta ao que quer que seja?

Não procureis encobrir coisa alguma. Se nada revelar vossos segredos, eles serão revelados pela própria cobertura. Não sabe a tampa o que está na panela? Ai das panelas cheias de serpentes e vermes quando a tampa é removida.

Digo-vos, nenhum alento sai de vossos pulmões sem que dissemine ao vento aquilo que há de mais íntimo em vosso peito. Nenhum olhar deixa os olhos sem levar consigo todo o olho — suas cobiças e seus medos, seus sorrisos e suas lágrimas. Nenhum sonho jamais entrou por porta alguma sem ter primeiro batido em todas as outras portas. Atentai, pois, como olhais. Tende cuidado quanto aos sonhos que deixais entrar pela porta e àqueles que deixais passar.

Se quiserdes, porém, ser livres de preocupações e dor, Mirdad alegremente mostrar-vos-á o caminho.

CAPÍTULO IX

O caminho para a Vida Sem Sofrimento
Os companheiros querem saber
se Mirdad é o Clandestino

Micaster: Mostra-nos o caminho.

MIRDAD: Este é o caminho que leva à libertação das preocupações e da dor:

Pensai como se cada um de vossos pensamentos tivesse de ser gravado a fogo no céu, para que todos e tudo o vissem. E, verdadeiramente, assim é.

Falai como se o mundo todo fosse um único ouvido atento a escutar o que dizeis. E, verdadeiramente, assim é.

Agi como se todos os vossos atos tivessem de recair sobre vossa cabeça. E, verdadeiramente, assim é.

Desejai como se vós fosseis o desejo. E, verdadeiramente, o sois.

Vivei como se vosso Deus, Ele próprio, tivesse necessidade de vossa vida para viver a dele. E, verdadeiramente, Ele necessita.

Himbal: Por quanto tempo ainda continuarás a manter-nos perplexos? Falas conosco tal como homem algum ou livro algum jamais falou.

Bennoon: Dize-nos quem és, para que saibamos com que ouvidos te ouviremos. Se és o Clandestino, dá-nos prova disso.

Mirdad: Falaste muito bem, Bennoon. Tendes muitos ouvidos, por isso não podeis ouvir. Se tivésseis só um que ouvisse e compreendesse, não exigiríeis provas.

Bennoon: O Clandestino deverá vir para julgar o mundo, e nós, da Arca, deveríamos julgar com ele. Devemos preparar-nos para o Dia do Juízo?

CAPÍTULO X

Do Julgamento e do Dia do Juízo

MIRDAD: Não há em minha boca julgamento, e sim a Sagrada Compreensão. Não vim para julgar o mundo, mas para desjulgá-lo, pois só a Ignorância gosta de trajar toga e peruca, propor leis e aplicar penas.

O mais impiedoso juiz da Ignorância é a própria Ignorância. Considerai o Homem. Não tem ele, em ignorância, se dividido em dois, atraindo assim a morte para si, bem como para todas as coisas que constituem seu mundo dividido?

Digo-vos: não há Deus *e* homem, mas sim Deus-Homem ou Homem-Deus. Existe o Um. Não obstante multiplicado, não obstante dividido, é eternamente Um.

A unicidade de Deus é a eterna lei de Deus. Trata-se de uma lei que se faz cumprir, não necessitando nem cortes nem juízes para ser amplamente promulgada ou para preservar sua dignidade e força. O Universo — o que é visível dele e o que é invisível — é uma só boca a proclamá-la para os que têm ouvidos para ouvir.

Não é o Mar — embora vasto e profundo — uma só gota?

Não é a Terra — embora lançada tão longe — uma só esfera?

Não são as esferas — embora inúmeras — um só Universo?

Também a humanidade é um só Homem. Da mesma forma, o Homem, com todos os seus mundos, é uma singularidade completa.

A unicidade de Deus, meus companheiros, é a única lei da existência. O outro nome que se lhe dá é Amor. Conhecê-la e observá-la é perseverar na Vida, mas observar qualquer outra lei é perseverar na não existência, ou seja, na Morte.

A Vida é agregar. A Morte é desagregar. A Vida é concentrar. A Morte é dispersar. Eis por que o Homem — o dualista — está suspenso entre as duas, pois ele agrega, mas somente pela desagregação. Ele concentra, mas somente pela dispersão. Ao agregar e concentrar, ele guarda a Lei; e a Vida é seu galardão. Ao desagregar e dispersar, ele peca contra a Lei; e a Morte é seu amargo prêmio.

No entanto, vós, que condenais a vós mesmos, sentai-vos para julgar os homens que já estão, como vós, por eles mesmos condenados. Quão horríveis são os juízes e o julgamento!

Menos horríveis, de fato, seriam dois condenados à forca, cada qual sentenciando o outro à forca.

Menos ridículos seriam dois bois no mesmo jugo, cada qual dizendo ao outro: "Eu o poria no jugo".

Menos medonhos seriam dois cadáveres em uma cova trocando entre si condenações à cova.

Menos patéticos seriam dois cegos a arrancarem-se mutuamente os olhos.

Evitai sentar-vos em qualquer cadeira de juiz, meus companheiros, pois para sentenciar alguém ou alguma coisa, não somente deveis conhecer a Lei e viver de acordo com ela, mas também ouvir os testemunhos. E a quem ouvireis como testemunha em qualquer caso que se apresente?

Convocareis o vento para depor em juízo? Porque o vento auxilia e instiga qualquer ocorrência debaixo do céu.

Ou chamareis a juízo as estrelas? Porque elas estão a par de tudo que sucede no mundo.

Ou enviareis intimações a todos os mortos desde Adão até o dia de hoje? Porque todos os mortos continuam a viver nos vivos.

Para ter um depoimento completo em qualquer caso, o Cosmo deve necessariamente ser testemunha. Se pudésseis levar o Cosmo à corte, não necessitaríeis de cortes. Desceríeis da cadeira de juiz e deixaríeis que a testemunha fosse o juiz.

Quando conhecerdes tudo, não julgareis nada.

Quando puderdes agregar os mundos, não condenareis nem mesmo um daqueles que desagregam; porque então sabereis que a desagregação condena aquele que desagrega e, em vez de condenar aquele que se condena, deveríeis esforçar-vos para anular sua condenação.

Muito sobrecarregado está o Homem agora com cargas que a si mesmo impôs. Muito áspera e tortuosa é sua estrada. Cada julgamento é uma nova carga, tanto para o que julga como para o que é julgado. Se quiserdes ver aliviada vossa carga, abstende-vos de julgar qualquer homem. Se quiserdes que vossa carga desapareça, mergulhai e perdei-vos para sempre no Verbo. Que a Compreensão guie vossos passos, se quiserdes que vosso caminho seja reto e suave.

Não é julgamento que vos trago em minha boca, mas a Sagrada Compreensão.

Bennoon: E o Dia do Juízo?

Mirdad: Todo dia, Bennoon, é Dia do Juízo. A conta-corrente de cada criatura entra em balanço a cada abrir e fechar de olhos. Nada permanece oculto. Nada deixa de ser pesado.

Não há pensamento, ação ou desejo que não seja registrado no pensador, no agente ou no aspirante. Nenhum pensamento, nenhum desejo, nenhuma ação ficam estéreis neste mundo; todos procriam de acordo com sua espécie e natureza. Tudo o que está de acordo com a Lei de Deus é colhido para a Vida. Tudo o que a ela se opõe é colhido para a Morte.

Teus dias não são todos iguais, Bennoon.

Alguns são serenos: são a colheita das horas vividas em retidão. Alguns são nublados: são a dádiva das horas meio adormecidas na Morte e meio despertas na Vida.

Há outros que se precipitam sobre ti, cavalgando uma tormenta, com coriscos nos olhos e trovões nas ventas. Esmagam-te de cima; chicoteiam-te de baixo; atiram-te para a direita e para a esquerda; achatam-te de encontro ao solo e fazem-te comer o pó e desejares jamais haver nascido. Esses dias são os frutos das horas gastas em oposição propositada à Lei.

Assim é com o mundo. As sombras ameaçadoras nos céus não são em nada menos sinistras do que aquelas que anunciaram o Dilúvio. Abri os olhos e vede. Quando observais as nuvens cavalgando o Vento Sul em direção ao norte, dizeis que elas trazem chuva. Por que não sois tão sábios em mensurar a deriva das nuvens humanas? Não podeis ver com que rapidez os homens se enrascaram em suas próprias redes?

O dia de desenrascar está próximo. E que dia de pavor será esse!

As redes dos homens têm sido tecidas com veias do coração e da alma, durante muitos, muitíssimos séculos. Para livrar os homens de suas redes, será preciso rasgar-lhes as próprias carnes; os próprios ossos terão de ser esmagados. E os próprios homens se incumbirão de rasgar e esmagar.

Quando as tampas forem levantadas — como certamente o serão — e quando as panelas despejarem seu conteúdo — como certamente o farão —, onde esconderão os homens sua Vergonha, e para onde fugirão?

Nesse dia, os vivos invejarão os mortos, e os mortos amaldiçoarão os vivos. As palavras dos homens hesitarão em sua garganta e a luz se congelará em suas pálpebras. De seu coração sairão escorpiões e víboras, e eles gritarão, atemorizados: "De onde vêm estas víboras e estes escorpiões?", esquecidos de que os haviam alojado e criado em seu coração.

Abri os olhos e vede. Mesmo nesta Arca, destinada a ser um farol para o mundo que chafurda, há lama demais para que consigais atravessar. Se o farol tornou-se uma armadilha, quão terrível deve ser o estado dos que se encontram no mar!

Mirdad construir-vos-á uma nova Arca. Exatamente aqui, neste ninho, ele fundará e edificará a nova Arca. Deste ninho voareis para o mundo levando aos homens não ramos de oliveira, mas a Vida inexaurível. Para isso deveis conhecer a Lei e guardá-la.

Zamora: Como conheceremos e guardaremos a Lei de Deus?

CAPÍTULO XI

O Amor é a Lei de Deus
Mirdad adivinha uma animosidade
entre dois companheiros,
pede a harpa e canta o hino da Nova Arca

MIRDAD: O Amor é a Lei de Deus.

Viveis para que aprendais a amar. Amais para que aprendais a viver. Nenhuma outra lição é requerida do Homem.

E que é amar, senão absorver para sempre o amado de modo que amado e amante sejam um?

A quem ou a quê deve alguém amar? Pode alguém escolher certa folha da Árvore da Vida e derramar sobre ela todo o seu coração? E o ramo que provê a folha? E o tronco que sustenta o ramo? E a casca que escuda o tronco? E as raízes que nutrem a casca, o tronco, os ramos e as folhas? E o solo que acalenta as raízes? E o sol, e o mar, e o ar que fertilizam o solo?

Se uma pequena folha numa árvore é digna de vosso amor, quanto mais digna será a árvore toda! O amor que discrimina uma fração do todo, antecipadamente se condena ao pesar.

Direis: "Mas há folhas e folhas em uma única árvore: umas são sadias, outras são doentes; umas são belas, outras, feias; algumas são gigantes, outras são anãs. Como poderemos deixar de escolher?"

E dir-vos-ei: da palidez do doente provém o viço do sadio. E dir-vos-ei ainda mais, que a fealdade é a paleta, a tinta e o pincel da Beleza; e que o anão não seria anão se não tivesse dado de sua estatura ao gigante.

Vós sois a Árvore da Vida. Cuidado para não dividirdes a vós mesmos! Não inciteis um fruto contra outro, folha contra folha, ramo contra ramo; nem instigueis o tronco contra as raízes, ou a árvore contra o solo-mãe. É exatamente isso que fazeis quando amais uma parte mais do que o resto, ou com a exclusão do restante.

Vós sois a Árvore da Vida. Vossas raízes estão em toda parte. Vossos ramos e folhas estão em toda parte. Vossos frutos estão em todas as bocas. Sejam quais forem os frutos dessa árvore; sejam quais forem seus ramos e folhas; sejam quais forem suas raízes, são vossos frutos; são vossas folhas e ramos; são vossas raízes. Se quiserdes que a árvore produza frutos doces e fragrantes, se a desejardes sempre forte e verde, cuidai da seiva com que alimentais as raízes.

O Amor é a seiva da Vida. Já o Ódio é o pus da Morte. Mas o Amor, tal como o sangue, precisa circular sem obstáculos nas veias. Reprimi o sangue, e ele se tornará uma ameaça e uma praga. E que é o Ódio senão Amor represado ou Amor reprimido, que se torna, portanto, um veneno mortal, tanto para o mantenedor como para o que é mantido, tanto para quem odeia como para quem é odiado?

Uma folha amarela em vossa árvore da vida é somente uma folha desleitada de Amor. Não culpeis a folha amarela.

Um ramo ressequido é somente um ramo faminto de Amor. Não culpeis o ramo ressequido.

Uma fruta podre é somente uma fruta que foi aleitada pelo Ódio. Não culpeis a fruta podre. Culpai antes vosso coração cego e avarento que confere com parcimônia a seiva da vida a uns poucos e a nega a muitos, rejeitando-a, assim, a si próprio.

Não há outro amor possível senão o amor do ser. Nenhum ser é real, senão o Oniabarcante Ser. Portanto, Deus é todo Amor; porque Deus ama a Si mesmo.

Enquanto sofrerdes por Amor, é porque ainda não encontrastes vosso verdadeiro ser, nem achastes ainda a áurea chave do Amor, pois se amais um ser efêmero, vosso amor é efêmero.

O amor de um homem por uma mulher não é Amor, mas sua longínqua reminiscência. O amor dos pais pelos filhos é tão somente o limiar do sagrado templo do Amor. Enquanto todos os homens não amarem todas as mulheres, e vice-versa; enquanto todos os filhos não forem filhos de todos os pais, e vice-versa, deixai que homens e mulheres se ufanem de carne e osso apegando-se a carne e osso, mas jamais empregueis o sagrado nome de Amor, pois seria blasfêmia.

Não tereis amigos enquanto considerardes um único homem como inimigo. Como pode o coração que abriga inimizade ser um refúgio seguro para a amizade?

Não conhecereis a alegria do Amor enquanto houver ódio em vosso coração. Se nutrísseis com a seiva da Vida todas as coisas, exceto um pequeno verme, esse diminuto verme sozinho tornaria amarga vossa vida, pois ao amardes alguma coisa ou alguém, em verdade somente amais a vós próprios. Do mesmo modo, quando odiais alguma coisa ou alguém, em verdade odiais a vós mesmos, pois aquilo que odiais está inseparavelmente ligado àquilo que amais, como a cara e a coroa da mesma moeda. Se quiserdes ser honestos convosco mesmos deveis amar o que odiais e o que vos odeia, antes de amardes o que amais e o que vos ama.

O Amor não é uma virtude. O Amor é uma necessidade; mais do que pão e água; mais do que luz e ar.

Que ninguém se orgulhe de amar. Ao contrário, inalai e exalai o Amor tão inconsciente e livremente como inspirais e expirais o ar.

Porque o Amor não precisa que ninguém o exalte. O Amor exaltará o coração que considerar digno de si.

Não busqueis recompensa pelo Amor. O Amor é, em si mesmo, recompensa suficiente para o Amor, assim como o Ódio é, em si mesmo, castigo bastante para o Ódio.

Não mantenhais controle sobre o Amor, pois o Amor não presta contas senão a si mesmo.

O Amor não empresta nem pode ser emprestado; o Amor não compra nem vende; mas quando dá, ele se dá por inteiro; e quando toma, toma por inteiro. Na verdade, ao arrebatar, ele dá. E é dando que ele arrebata. Consequentemente é o mesmo, hoje, amanhã e para todo o sempre.

Assim como um rio caudaloso que deságua no mar é reabastecido pelo mar, assim deveis esvaziar-vos no Amor para que sejais para sempre preenchidos de Amor. O lago que retém o presente que o mar lhe dá torna-se uma poça de água estagnada.

Não há "mais" nem "menos" no Amor. No momento em que tentardes graduar e medir o Amor, ele se evadirá, deixando só amargas recordações.

Nem há "agora" nem "depois", ou "aqui" e "acolá" no Amor. Todas as estações são estações do Amor. Todos os locais são moradias adequadas para o Amor.

O Amor não conhece nem fronteiras nem grades. Um amor cujo curso é obstruído por qualquer obstáculo ainda não é digno do nome de Amor.

Sempre vos ouço dizer que o Amor é cego, no sentido de que ele não consegue ver defeitos no amado. Essa espécie de cegueira é o máximo da visão.

Pudésseis vós ser sempre tão cegos que não notásseis defeitos em coisa alguma!

Não! Claro e penetrante é o olho do Amor, por isso ele não vê defeitos. Quando o Amor houver purgado vossa visão, não vereis nada que não seja digno de vosso amor. Somente um olho defeituoso e podado de Amor está sempre ocupado em encontrar defeitos, e quaisquer faltas que encontre, são somente as suas próprias.

O Amor integra. O Ódio desintegra. Esta imensa e pesada massa de terra e rocha, que chamais de Pico do Altar, rebentaria se não fosse conservada unida pela mão do Amor. Mesmo vosso corpo, perecível como parece ser, certamente resistiria à desintegração se amásseis com o mesmo zelo cada uma de suas células.

O Amor é a paz que pulsa com melodias de Vida. O Ódio é a guerra ávida pelos inexoráveis golpes da Morte. Que preferis: amar e estar em paz eterna, ou odiar e estar em guerra eterna?

Toda a terra está viva em vós. Os céus e suas hostes estão vivos em vós. Amai, pois, a Terra e todos os seus filhos se quereis amar a vós mesmos. Amai os Céus e todos os seus habitantes se quereis amar a vós mesmos.

Por que odeias Naronda, Abimar?

Naronda: Todos se chocaram com a mudança tão súbita no tom de voz e no curso dos pensamentos do Mestre, enquanto Abimar e eu, pasmos, ficávamos sem fala com uma pergunta tão direta sobre uma animosidade que havia entre nós e que cuidadosamente ocultamos de todos, tendo motivos para crer que ninguém a tivesse detectado. Todos olharam estarrecidos para nós dois e ficaram à espera da resposta de Abimar.

Abimar: (Olhando para mim com expressão reprovadora) Contaste algo ao Mestre, Naronda?

Naronda: Quando Abimar disse "Mestre", o coração em mim derreteu de alegria. Havia sido exatamente em torno dessa palavra que nos havíamos desentendido muito tempo antes de Mirdad haver-se revelado, dizendo eu que ele era um instrutor que tinha vindo para iluminar os homens, e Abimar insistindo em que ele era apenas um homem comum.

MIRDAD: Não olhes de soslaio para Naronda, Abimar, pois ele não é culpado do que o culpas.

Abimar: Quem vos contou, então? Podeis também ler a mente dos homens?

MIRDAD: Mirdad não precisa de espiões nem de intérpretes. Se amasses Mirdad como ele te ama, poderias ler facilmente o que lhe vai na mente e também no coração.

Abimar: Perdoai a um homem cego e surdo, Mestre. Abri-me os olhos e os ouvidos, pois estou ansioso por ver e ouvir.

MIRDAD: O Amor é o único que opera milagres. Se queres ver, deixa que o Amor esteja na pupila do olho. Se queres ouvir, deixa que o Amor esteja no tímpano do ouvido.

Abimar: Mas eu não odeio ninguém, nem mesmo a Naronda.

MIRDAD: Não odiar não é amar, Abimar, pois o Amor é uma força ativa; a não ser que ele guie cada movimento e cada passo teu, não poderás encontrar teu caminho; a não ser que ele satisfaça cada um de teus desejos e de teus pensamentos, teus desejos serão urtigas em teus sonhos; teus pensamentos serão canções lamentosas durante os dias.

Agora meu coração é uma harpa e sou comovido a cantar; onde está tua harpa, meu bom Zamora?

Zamora: Quereis que eu vá buscá-la, Mestre?
Mirdad: Vai, Zamora.
Naronda: Zamora levantou-se imediatamente e foi buscar a harpa. Os demais se entreolharam com absoluto espanto, mas mantiveram-se silenciosos.

Ao voltar Zamora com a harpa, o Mestre gentilmente tomou-a de suas mãos e, curvando-se sobre ela, ternamente, afinou com cuidado corda por corda; logo depois, começou a tocar e a cantar:

Mirdad:
Deus é teu capitão; singra, minh'Arca!
Mesmo que o inferno suas fúrias rubras solte
E contra vivos e mortos se volte
E a terra em chumbo se molde,
Varrendo dos céus toda e qualquer marca,
Deus é teu capitão; singra, minh'Arca!

O Amor é tua bússola; veleja, minh'Arca!
Para norte e sul, leste e oeste voa
E tua arca do tesouro a todos doa.
A tormenta levar-te-á em sua coroa,
Para os nautas um farol que com as trevas arca.
O Amor é tua bússola; veleja, minh'Arca!

A Fé é tua âncora; zarpa, minh'Arca!
Quando o trovão ressoa e o corisco cai como arpão,
Quando os montes tremem e vão ao chão,
E o homem torna-se tão fraco de coração,
Que no esquecimento a santa centelha abarca,
A Fé é tua âncora; viaja, minh'Arca!

Naronda: O Mestre terminou de cantar e curvou-se sobre a harpa, qual mãe se curva, em transe de amor, sobre um filho em seu seio, e, embora suas cordas já não vibrassem, a harpa continuava a tanger: "Deus é teu capitão; singra, minh'Arca!" E embora os lábios do Mestre estivessem cerrados, sua voz reverberou por um instante em todo o Ninho da Águia e em ondas flutuou pelos picos escarpados ao derredor; pelas colinas e vales, lá embaixo; pelo mar encapelado ao longe; pela abóbada celeste, lá em cima.

Havia chuvas de estrelas cadentes e arcos-íris naquela voz. Havia terremotos e furacões, assim como brisas murmurantes e rouxinóis inebriados de canções. Havia mares revoltos e envoltos por brumas suaves e plenas de orvalho. Era como se toda a criação estivesse ouvindo, com grata alegria.

Parecia ainda que as Montanhas Alvas, com o Pico do Altar no centro, tivessem sido subitamente separadas da terra e estivessem flutuando no espaço, majestosas, poderosas e resolutas em seu curso.

Durante os três dias que se seguiram o Mestre não dirigiu palavra a ninguém.

CAPÍTULO XII

Do Silêncio Criador
O falar é, na melhor das hipóteses, uma mentira honesta

Naronda: Passados os três dias, os Sete, como que impelidos por um comando irresistível, reuniram-se e foram ao Ninho da Águia. O Mestre nos saudou como quem estivesse esperando nossa vinda.

MIRDAD: Mais uma vez vos dou as boas-vindas, filhotes implumes de volta ao ninho. Dizei a Mirdad vossos pensamentos e vossos desejos.

Micayon: Nosso único pensamento e desejo é estar perto de Mirdad para que possamos sentir e ouvir sua verdade para que possamos tornar-nos sem sombra, tal como ele é. Seu silêncio, no entanto, atemoriza todos nós. Por acaso o ofendemos de algum modo?

MIRDAD: Não foi para exilar-vos de mim que me conservei em silêncio durante três dias, mas para trazer-vos para mais perto de mim. Quanto a me haverdes ofendido, quem conhece a paz invencível do Silêncio jamais pode ser ofendido ou ofender.

Micayon: É melhor estar silencioso do que falar?

Mirdad: O falar é, na melhor das hipóteses, uma mentira honesta. Ao passo que o silêncio é, no pior dos casos, uma verdade nua.

Abimar: Devemos disso concluir que até mesmo as palavras de Mirdad, conquanto honestas, são apenas mentiras?

Mirdad: Sim. Até mesmo as palavras de Mirdad são apenas mentiras para todos cujo eu não é o mesmo que o de Mirdad. Até que todos os vossos pensamentos sejam escavados de uma única pedreira e todos os vossos desejos sejam extraídos do mesmo poço, vossas palavras serão, conquanto honestas, mentiras.

Quando vosso eu e o meu forem um, assim como o meu e o de Deus são um, dispensaremos as palavras e comungaremos perfeitamente em silêncio pleno de verdade.

Como vosso eu e o meu não são o mesmo, sou constrangido a desferir contra vós uma guerra de palavras, para que possa vencer-vos com vossas próprias armas e levar-vos à minha pedreira e ao meu poço.

Somente assim podereis ir para o mundo, vencê-lo e dominá-lo como eu vos vencerei e dominarei. E somente então estareis preparados para guiar o mundo ao silêncio da Consciência Suprema, para a pedreira do Verbo, para o poço da Sagrada Compreensão.

Enquanto não fordes assim vencidos por Mirdad, não vos tornareis verdadeiramente inexpugnáveis e poderosos conquistadores. Nem o mundo poderá lavar a ignomínia de sua contínua derrota, salvo quando houver sido derrotado por vós.

Cingi-vos, pois, para a batalha. Bruni vossos escudos e vossos peitorais e afiai vossas espadas e vossas lanças. Deixai, também, que o Silêncio bata o tambor e carregue o estandarte.

Bennoon: Que espécie de silêncio será esse que irá, ao mesmo tempo, bater o tambor e carregar o estandarte?

Mirdad: O Silêncio em que vos farei entrar é aquela expansão interminável na qual o não ser passa a ser e o ser passa a não ser. É aquele vácuo venerável onde todo som nasce e é silenciado; onde toda forma é moldada e esmagada; onde todo ser é gravado e desgravado; onde nada existe, a não ser ISTO.

A não ser que atravesseis esse vácuo e essa expansão em silenciosa contemplação, não sabereis quão real é vosso ser, nem quão irreal o não ser. Nem sabereis quão firmemente ligada está vossa realidade com toda a Realidade.

É por esse Silêncio que eu gostaria que peregrinásseis, para que pudésseis abandonar vossa velha pele apertada e andar sem restrição, desagrilhoados.

É para lá que almejo que leveis vossas preocupações e receios, paixões e desejos, cobiças e luxúrias, para que os possais ver desaparecer um a um, aliviando, assim, vossos ouvidos de seus gritos incessantes e poupando vossos flancos da dor de suas afiadas esporas.

É ali que desejo que jogueis os arcos e flechas deste mundo, com os quais esperais caçar contentamento e alegria, e em realidade nada caçais senão desassossego e tristeza.

É ali que espero que rastejeis para fora da tenebrosa e sufocante carapaça do ser para a luz e o ar livre do Ser.

É esse o Silêncio que vos recomendo, e não um mero descanso para vossa língua gasta pelo falar.

É o silêncio fecundo da Terra que vos recomendo, e não o silêncio temeroso do traidor e do trapaceiro.

O silêncio paciente da galinha que choca é que vos recomendo, e não o impaciente cacarejar de sua irmã que bota.

Aquela se mantém quieta durante vinte e um dias e espera em silenciosa confiança que a Mão Mística realize o milagre debaixo de seu peito felpudo e de suas macias asas. A outra salta do ninho e cacareja loucamente, anunciando que botou um ovo.

Cuidado com a virtude cacarejante, meus companheiros. Assim como amordaçais vossa vergonha, amordaçai também vossa honra, pois a honra cacarejante é pior que a silenciosa desonra, e a virtude clamorosa é pior que a iniquidade muda.

Evitai o demasiado falar. Em cada mil palavras pronunciadas, pode ser que haja uma, somente uma, que, em verdade, necessita ser pronunciada. As restantes só nublam a mente, entopem o ouvido, irritam a língua e também cegam o coração. Como é difícil dizer a palavra que realmente deve ser dita! Em cada mil palavras escritas, pode ser que haja uma, somente uma, que, em verdade, necessita ser escrita.

As restantes são tinta e papel desperdiçados e minutos aos quais se deu pés de chumbo em vez de asas de luz.

Como é difícil, oh, como é difícil escrever a palavra que precisa verdadeiramente ser escrita!

Bennoon: Que dizeis da oração, Mestre Mirdad? Na oração, fazem-nos dizer palavras demais e pedir coisas em excesso. No entanto, raramente nos é concedido qualquer uma das coisas que pedimos.

CAPÍTULO XIII

Da Oração

MIRDAD: Orais em vão quando vos dirigis a quaisquer outros deuses que não a vós mesmos.

Porque em vós está o poder de atrair, e em vós está o poder de repelir.

Em vós estão as coisas que desejais atrair, e em vós estão as coisas que desejais repelir.

Porque poder receber uma coisa é poder também concedê-la.

Onde há fome, há alimento. Onde há alimento, também deve haver fome. Ser afligido pela dor da fome é ser capaz de gozar da bênção de estar saciado. Sim, na indigência está o suprimento da necessidade. Não é a chave uma autorização da fechadura? Não é a fechadura uma autorização da chave? Não são ambas, a fechadura e a chave, uma autorização da porta?

Não tenhais pressa em importunar o chaveiro cada vez que perderdes ou não souberdes onde pusestes a chave. O chaveiro fez sua tarefa e a fez bem; não se deve pedir-lhe que faça o mesmo trabalho de novo e sempre. Fazei vosso trabalho e deixai o chaveiro em paz; pois ele, depois de ter-vos servido, tem mais o que fazer. Retirai o mau cheiro e o lixo de vossa memória, e certamente encontrareis a chave.

Quando Deus, o Inefável, expressou-vos, ele expressou-Se em vós. Também sois, portanto, inefáveis.

Deus não vos dotou de nenhuma fração de Si — pois Ele é indivisível — mas de toda a Sua divindade, indivisível, inefável, Ele vos dotou a todos. A que maior herança podeis aspirar? E quem ou o que pode impedir-vos de apossar-vos dela senão vossa própria timidez e cegueira?

Entretanto, em vez de serem gratos por sua herança, e em vez de procurarem os meios de tomar posse dela, alguns homens — cegos ingratos! — querem fazer de Deus uma espécie de fossa, onde despejam suas dores de dente e de barriga, seus prejuízos nos negócios, suas brigas, suas vinganças e suas noites de insônia.

Outros desejam fazer de Deus sua tesouraria exclusiva, onde esperam encontrar a seu bel-prazer e a qualquer momento tudo aquilo que cobicem dentre todas as bugigangas cheias de filigranas deste mundo.

Há ainda outros que desejariam fazer de Deus uma espécie de seu guarda-livros particular. Ele deve não só manter em dia o que devem e o que os outros devem a eles, mas também cobrar suas dívidas e sempre mostrar um polpudo e belo saldo a seu favor.

Sim, os homens incumbem Deus de muitas e diversas tarefas; no entanto, poucos parecem pensar que se, de fato, Deus fosse desse modo encarregado de tantas tarefas, Ele as executaria sozinho e não precisaria de homem algum para aguilhoá-Lo a fazê-las ou para relembrá-Lo delas.

Lembrais a Deus das horas em que deve nascer o sol ou pôr-se a lua?

Lembrais a Deus de fazer o grão de milho brotar para a vida naquele campo?

Tendes de lembrá-Lo daquela aranha que tece seu refúgio magistral?

Precisais lembrá-Lo dos filhotes naquele ninho de pardal?

Por acaso tendes de lembrá-Lo das inúmeras coisas que preenchem este ilimitado Universo?

Por que pressionais vosso ego franzino cheio de necessidades frívolas contra Sua memória? Sois menos favorecidos a Seus olhos do que os pardais, o milho e as aranhas? Por que, como eles, não recebeis vossos dons e vos ocupais com vossas tarefas sem alarido, sem dobrar os joelhos, sem estender os braços e sem espreitar ansiosamente o amanhã?

Onde está Deus para que possais gritar-Lhe nos ouvidos vossos caprichos e vaidades, vossos louvores e queixas? Não está Ele em vós e ao redor de vós? Não está Seu ouvido muito mais próximo de vossa boca do que está vossa língua do céu da boca?

Basta a Deus Sua divindade, da qual tendes a semente.

Se Deus, tendo-vos dado a semente de Sua divindade, tivesse de cuidar dela, e não vós, qual seria vossa virtude? E qual seria o labor de vossa vida? E se vós não tiverdes labor algum a executar, mas Deus precisar executá-lo para vós, que sentido terá, então, vossa vida? E de que valerão todas as vossas preces?

Não leveis a Deus vossas incontáveis preocupações e esperanças. Não Lhe imploreis para abrir as portas das quais Ele vos forneceu as chaves. Vasculhai antes a vastidão de vosso coração, pois na vastidão do coração encontra-se a chave de cada porta; e na vastidão do coração estão todas as coisas das quais tendes sede e fome, sejam do mal ou do bem.

Uma poderosa hoste é colocada a vosso serviço, pronta para obedecer até vossos mais débeis comandos. Disciplinada com sabedoria, comandada com intrepidez e devidamente equipada, ela terá poder para transpor eternidades e varrer todas as barreiras que se opuserem a sua meta. Contudo, se for indisciplinada, comandada com timidez e ainda estiver mal equipada, ela se dispersará ou então baterá em retirada alvoroçadamente diante do menor obstáculo, deixando atrás de si o rastro de sua negra derrota.

E essa hoste, ó monges, não é outra senão a daqueles insignificantes corpúsculos vermelhos que estão agora silenciosamente circulando em vossas veias; cada um deles, um milagre de força, cada um deles, um registro completo e exato de toda a vossa vida e de toda a Vida, em seus mais íntimos detalhes.

No coração essa hoste se reúne e a partir do coração ela se divide em várias frentes. Eis por que o coração é tão famoso e tão reverenciado. Dele brotam vossas lágrimas de alegria e de tristeza. A ele acorrem vossos temores da Vida e da Morte.

Vossos anseios e vossos desejos são a equipagem dessa hoste. Vossa Mente é o disciplinador. Vossa Vontade, o instrutor e o comandante.

Sem dúvida, vossos desejos serão realizados a partir do momento em que equipardes vosso sangue com um Desejo-Mestre capaz de silenciar e eclipsar todos os outros, confiardes a disciplina a um Pensamento-Mestre e fizerdes que o treinamento e o comando estejam a cargo de uma Vontade-Mestra.

Como um santo atinge a santidade, senão purgando a corrente sanguínea de cada desejo e pensamento incongruente com a santidade e, depois, dirigindo-a com vontade inabalável a nada mais buscar senão a santidade?

Digo-vos que todos os desejos santos e todos os pensamentos santos, e todas as vontades santas, de Adão até hoje, se apressarão para ajudar o homem assim inclinado a atingir a santidade, pois foi sempre assim que em toda parte as águas procuram o mar, e os raios de luz buscam o sol.

Como o homicida executa seus desígnios? Primeiro, ele açoita o sangue até que nasça uma sede frenética de homicídio. Em seguida, sob o látego do pensamento amestrado pelo homicídio, manobra suas células de modo que cerrem fileiras e, com vontade incansável, ordena ao sangue que desfira o golpe fatal.

Em verdade vos digo que cada homicida, desde Caim até hoje, se apressará, sem que seja chamado, para dar força e firmeza ao braço de tal homem que está tão inebriado pelo homicídio, pois desde sempre os corvos se têm consorciado com os corvos, e as hienas, com as hienas.

Orar, pois, é infundir no sangue um Desejo-Mestre, um Pensamento-Mestre, uma Vontade-Mestra. Trata-se, pois, de afinar o ser para que fique em perfeita harmonia com qualquer que seja o objetivo de vossa prece.

A atmosfera deste planeta, espelhada em todos os seus detalhes dentro de vosso coração, está encapelada com as memórias errantes de todas as coisas que testemunhou desde seu nascimento.

Não há palavra ou ação, desejo ou suspiro, pensamento passageiro ou sonho transitório, nenhum alento de homem ou animal, nenhuma sombra, nenhuma ilusão que não tenha singrado diligentemente essa atmosfera através de suas rotas místicas até o dia de hoje, e assim continuará a fazê-lo até o final dos Tempos. Afinai vosso coração consoante qualquer um deles, e ele certamente se precipitará para tocar as cordas.

Para orardes não precisais de língua nem de lábios. Mas antes necessitais de um coração silencioso e vigilante, de um Desejo-Mestre, um Pensamento-Mestre e, acima de tudo, de uma Vontade-Mestra que não duvide nem hesite, pois as palavras de nada valem quando o coração não está presente e desperto em cada sílaba. E quando o coração está presente e desperto, melhor é que a língua vá dormir ou se esconda atrás de lábios cerrados.

Nem precisais de templos para neles orardes.

Quem não pode encontrar um templo no coração, jamais encontrará seu coração em qualquer templo.

No entanto, estas coisas digo a vós e aos que são como vós, não porém a todos os homens, pois os homens, em sua maioria, ainda são naus abandonadas. Sentem a necessidade de orar, porém não sabem como fazê-lo. Não sabem orar senão com palavras e não encontrarão as palavras se vós não lhas puserdes nos lábios. E sentem-se perdidos e apavorados quando são levados a percorrer a vastidão do coração, mas se sentem aliviados e confortados entre as paredes dos templos e nos rebanhos de criaturas como eles mesmos.

Deixai-os erigir seus templos. Deixai-os recitar suas preces.

Mas a vós e a todos os homens eu incumbo de orar por Compreensão. Desejar qualquer coisa que não seja isso é nunca sentir-se satisfeito.

Lembrai-vos de que a chave da vida é o Verbo Criador. A chave do Verbo Criador é o Amor. A chave do Amor é a Compreensão. Preenchei o coração com eles, poupai a língua da dor de muitas palavras e salvai a mente do peso de muitas orações; livrai o coração da servidão a todos os deuses, que desejam escravizar-vos com uma dádiva; que desejam acariciar-vos com uma mão somente para agredir-vos com a outra; que estão contentes e bondosos quando os louvais, mas iracundos e vingativos quando censurados; que não vos ouvem, a não ser que os chameis, e nada vos dão, a não ser que lhes imploreis; que, tendo-vos dado, frequentemente se arrependem de o terem feito; deuses cujo incenso são vossas lágrimas e cuja glória é vossa vergonha.

Sim, livrai o coração de todos esses deuses para que neles possais encontrar o único Deus que, tendo-vos saciado com Ele mesmo, quer ver-vos saciados para sempre.

Bennoon: Às vezes falais do Homem como um onipotente e às vezes o menosprezais como um abandonado. Desse modo nos deixais confusos.

CAPÍTULO XIV

Colóquio entre dois Arcanjos e Colóquio entre dois Arquidemônios por ocasião do nascimento atemporal do Homem na eternidade

Mirdad: Quando o Homem nasceu na eternidade, dois arcanjos no polo superior do Universo mantiveram o seguinte colóquio:

Disse o primeiro arcanjo:

— Uma criança maravilhosa nasceu na Terra, e a Terra arde em luz. Disse o segundo arcanjo:

— Um glorioso rei nasceu no Céu, e o Céu pulsa em júbilo.

1º: Ele é o fruto da união do Céu com a Terra.
2º: Ele é a união eterna — o pai, a mãe e o filho.
1º: Nele a Terra é exaltada.
2º: Nele o Céu é justificado.
1º: O dia está adormecido em seus olhos.
2º: A noite está desperta em seu coração.
1º: Seu peito é um ninho de tempestades.[12]
2º: Sua garganta é uma escala de canções.

12: A expressão *nest of gales* também pode ser traduzida como "lar das canções" (N.T.).

1º: Seus braços abraçam as montanhas.
2º: Seus dedos dedilham as estrelas.
1º: Os mares estão bramindo em seus ossos.
2º: Os sóis estão cursando suas veias.
1º: Sua boca é uma forja e um molde.
2º: Sua língua é uma bigorna e um martelo.
1º: Em volta de seus pés estão as cadeias do Amanhã.
2º: Em seu coração está a chave dessas cadeias.
1º: Este bebê ainda está deitado no berço do pó.
2º: Mas está enfaixado em éons.
1º: Tal como Deus, ele detém todos os segredos dos números. Tal como Deus, ele conhece o mistério das palavras.
2º: Ele conhece todos os números, exceto o Número Sagrado, que é o primeiro e o último. Ele conhece todas as palavras, exceto o Verbo Criador, que é o primeiro e o último.
1º: No entanto, ele deverá conhecer o Número e o Verbo.
2º: Antes, porém, seus pés terão de percorrer os desertos ínvios do Espaço e seus olhos terão de fitar ao longe as sombrias criptas do Tempo.
1º: Oh! Maravilhoso, muito maravilhoso, é este filho da Terra.
2º: Oh! Glorioso, muito glorioso é este rei dos Céus.
1º: O Inominável chamou-o de Homem.
2º: E ele chamou o Inominável de Deus.
1º: Homem é o verbo de Deus.
2º: Deus é o verbo do Homem.
1º: Glória Àquele cujo verbo é Homem.
2º: Glória àquele cujo verbo é Deus.
1º: Agora e para sempre.
2º: Aqui e em toda parte.

Assim falaram dois arcanjos no polo superior do Universo quando o Homem nasceu na eternidade. Ao mesmo tempo, dois arquidemônios no polo inferior do Universo estavam mantendo o seguinte colóquio: Disse o primeiro arquidemônio:

— Um valente guerreiro entrou para nossas fileiras. Com seu auxílio venceremos. Disse o segundo arquidemônio:

— Dize antes um covarde queixoso e manhoso. E a traição está assentada em sua fronte. Não obstante, é terrível na covardia e na traição.

1º: Impávido e selvagem é seu olhar.

2º: Choroso e manso é seu coração. Mas é aterrorizante em sua mansidão e em suas lágrimas.

1º: Sagaz e persistente é sua mente.

2º: Inerte e insensível é seu ouvido, mas é perigoso em sua inércia e em sua insensibilidade.

1º: Rápida e precisa é sua mão.

2º: Hesitantes e lentos são seus pés. Mas é medonha sua lentidão e alarmante sua hesitação.

1º: Nosso pão será aço para seus nervos. Nosso vinho será fogo para seu sangue.

2º: Ele nos apedrejará com nossas cestas de pães e quebrará em nossa cabeça nossas bilhas de vinho.

1º: Sua concupiscência por nosso pão e sua sede por nosso vinho serão seu carro na batalha.

2º: Com fome insaciável e sede implacável, ele se tornará inconquistável e provocará rebelião em nosso acampamento.

1º: Mas a Morte será o cocheiro.

2º: Com a Morte como cocheiro, ele se tornará imortal.

1º: Poderá a Morte levá-lo a algo que não seja a Morte?

2º: Sim! Tão exausta ficará a Morte com suas constantes lamentações que acabará por levá-lo ao acampamento da Vida.

1º: Será a Morte traidora da Morte?

2º: Não. A Vida será fiel à Vida.

1º: Excitaremos seu paladar com frutos raros e deleitosos.

2º: No entanto, ele ansiará por frutos que não crescem neste polo.

1º: Atiçaremos seus olhos e seu nariz com flores esplêndidas e fragrantes.

2º: Mas seus olhos buscarão outras flores e seu nariz, outra fragrância.

1º: E assediaremos seus ouvidos com suaves, porém distantes melodias.

2º: Mas seus ouvidos estarão voltados para outro coro.

1º: O Medo o escravizará a nós.

2º: A Esperança o protegerá contra o Medo.

1º: A Dor o subjugará a nós.

2º: A Fé o libertará da Dor.

1º: Envolveremos seu sono de sonhos confusos e disseminaremos sombras enigmáticas em sua vigília.

2º: Sua Fantasia solucionará os enigmas e dissolverá as sombras.

1º: Apesar de tudo, podemos contar com ele como sendo um de nós.

2º: Conta-o a nosso favor, se assim o quiseres; mas conta-o também como sendo contra nós.

1º: Pode ele ser, ao mesmo tempo, a nosso favor e contra nós?

2º: Ele é um guerreiro solitário no campo. Seu único adversário é sua sombra. Conforme muda a sombra, muda a batalha. Ele está conosco quando sua sombra está na frente. Está contra nós quando sua sombra está atrás.

1º: Não deveremos mantê-lo, então, constantemente de costas para o Sol?
2º: Mas quem manterá o Sol para sempre atrás dele?
1º: Este guerreiro é um enigma.
2º: Esta sombra é um enigma.
1º: Salve o cavaleiro solitário.
2º: Salve a sombra solitária.
1º: Salve! Quando está conosco.
2º: Salve! Quando está contra nós.
1º: Agora e para sempre.
2º: Aqui e em toda parte.
Assim falaram dois arquidemônios no polo inferior do Universo quando o Homem nasceu na eternidade.

CAPÍTULO XV

Shamadam faz um esforço para expulsar Mirdad da Arca O Mestre fala a respeito de insultar e ser insultado e de abarcar o Mundo com a Sagrada Compreensão

Naronda: Mal havia o Mestre terminado, quando surgiu à entrada do Ninho da Águia o vulto corpulento do Superior, como que impedindo a entrada do ar e da luz. E passou-me logo pela mente que o vulto à entrada não era senão um dos arquidemônios sobre os quais o Mestre acabara de nos falar.

Os olhos do Superior lançavam chispas de fogo, e sua barba eriçou-se quando avançou em direção ao Mestre, agarrando-o pelo braço, em uma evidente tentativa de arrancá-lo dali.

Shamadam: Acabo de ouvir o terrível vômito de tua mente vil. Tua boca é um jorro de veneno. Tua presença é um mau agouro. Como Superior desta Arca, convido-te a que te retires imediatamente.

Naronda: O Mestre, embora franzino, com a maior facilidade se manteve firme, como se ele fosse um gigante e Shamadam apenas um bebê. Sua equanimidade era estarrecedora ao olhar para Shamadam e responder:

MIRDAD: Só tem o poder de convidar a retirar-se aquele que convidou a entrar. Tu, Shamadam, por acaso me convidaste a entrar?

Shamadam: Foi tua miséria que me comoveu o coração de piedade, e eu permiti tua entrada.

MIRDAD: Meu amor, Shamadam, é que foi comovido pela tua miséria. E eis que aqui estou, e comigo está meu amor. Mas tu, infelizmente, não estás nem aqui nem lá. Tua sombra apenas esvoaça aqui e acolá, e eu vim para recolher todas as sombras e queimá-las ao Sol.

Shamadam: Eu já era Superior desta Arca muito antes que teu hálito principiasse a poluir o ar. Como ousa tua língua vil dizer que não estou aqui?

MIRDAD: Antes que estas montanhas fossem, eu era, e serei muito depois que elas se houverem transformado em pó.

Sou a Arca, o altar e o fogo. A não ser que te refugies em mim, permanecerás uma presa para a tempestade. A não ser que te imoles diante de mim, não conhecerás imunidade contra as sempre afiadas facas dos inúmeros açougueiros da Morte. A menos que o meu fogo suave te consuma, serás combustível para o fogo cruel do Inferno.

Shamadam: Todos vós ouvistes, não ouvistes? Vinde, companheiros! Atiremos este impostor blasfemo abismo abaixo!

Naronda: Novamente Shamadam atirou-se ao Mestre e agarrou-o pelo braço com vontade de arrastá-lo para fora, mas o Mestre não recuou nem se moveu. Nenhum dos companheiros também fez o mais leve movimento. Depois de uma pausa penosa, a cabeça de Shamadam caiu sobre o peito, e ele esquivou-se do Ninho da Águia, resmungando para si mesmo: "Eu sou o Superior desta Arca. Farei valer minha autoridade concedida por Deus".

O Mestre meditou por longo tempo e não queria falar, mas Zamora não pôde permanecer em silêncio.

Zamora: Shamadam insultou nosso Mestre. Que quer o Mestre que façamos com ele? Ordenai e atacaremos.

MIRDAD: Orai por Shamadam, meus companheiros. É somente isso que desejo que façais a ele. Orai para que seus olhos sejam desvelados e sua sombra removida.

É tão fácil atrair o bem como atrair o mal. E tão fácil sintonizar-se com o Amor como com o Ódio.

Do Espaço ilimitado e da vastidão de vosso coração retirai bênçãos para o mundo, pois tudo o que for uma bênção para o mundo será uma bênção para vós.

Orai pelo bem de todas as criaturas, pois o bem de cada criatura é também vosso próprio bem, e o mal de qualquer criatura é também vosso próprio mal.

Não sois, todos vós, como que degraus móveis da escada infinita do Ser? Os que quiserem subir à esfera da sagrada Liberdade terão de pisar nos ombros de outros e terão, por sua vez, de deixar seus ombros ser degraus para outros subirem.

Que é Shamadam, senão um degrau da escada de vosso ser? Não quereis que vossa escada seja forte e segura? Cuidai, pois, de cada degrau, e conservai-o forte e seguro.

Que é Shamadam, senão uma pedra no alicerce de vossa vida? E que sois vós, senão pedras no edifício de sua vida e no da vida de todas as criaturas? Cuidai para que Shamadam seja uma pedra infalível, se quiserdes que vosso edifício seja totalmente sem falhas. Sede vós também infalíveis para que não haja uma falha no edifício daqueles em cujas vidas vós possais ter sido parte integrante da construção.

Pensais que não sois dotados de mais do que dois olhos? Pois digo-vos que todo olho que vê, seja na Terra, acima ou abaixo dela, é uma extensão de vossos olhos. Na medida em que a vista de vosso próximo for nítida, na mesma medida também será nítida a vossa. Na medida em que a vista de vosso próximo for obscurecida, na mesma medida também será obscurecida a vossa.

Em cada homem cego sois privados de um par de olhos que, de outro modo, teria sido um reforço para os vossos. Conservai a vista de vosso próximo para que possais ver melhor. Preservai a vossa para que vosso próximo não tropece e obstrua, talvez, vossa própria porta.

Zamora pensa que Shamadam me insultou. Como pode a ignorância de Shamadam perturbar minha compreensão?

Um ribeirão barrento pode facilmente enlamear outro ribeirão. Pode, porém, um ribeirão barrento enlamear o mar? O mar alegremente receberá o barro, espalhá-lo-á em seu leito e devolverá ao ribeirão água límpida.

Podereis corromper ou esterilizar um metro quadrado de terra — talvez um quilômetro. Mas quem poderá corromper ou esterilizar a Terra? A terra aceita todas as impurezas dos homens e dos animais e devolve-lhes frutos doces, flores perfumadas, grãos e ervas em abundância.

Uma espada pode certamente ferir a carne. Pode ela, porém, ferir o ar, por mais afiado que seja seu gume e por mais forte que seja o braço que a empunha?

É o orgulho do ser mesquinho e tacanho, gerado pela ignorância cega e concupiscente, que pode insultar e ser insultado, que vingaria o insulto com um insulto, e lavaria a imundície com imundície.

O mundo dominado pelo orgulho e autointoxicado amontoará injúrias sobre vossa cabeça. Soltará sobre vós os cães sedentos de sangue de suas leis andrajosas, de suas crenças pútridas, de suas honrarias emboloradas. Ele vos proclamará inimigos da ordem e agentes do caos e da perdição. Espalhará ciladas em vosso caminho e cobrirá vossa cama de urtigas. Semeará maldições em vossos ouvidos e cuspirá desprezo em vosso rosto.

Não deixeis enfraquecer vosso coração. Sede como o Mar, vasto e profundo, e abençoai quem vos dá nada mais que um insulto.

E, como a Terra, sede generosos e calmos, e transformai as impurezas do coração dos homens em pura saúde e beleza.

Sede como o Ar, livre e dócil. A espada que vos feriria acabará perdendo o brilho e enferrujando. O braço que vos lesaria ficará finalmente exausto e inerte.

O mundo, não vos conhecendo, não pode conter-vos. Por isso, receber-vos-á rosnando; mas vós, conhecendo o mundo, podeis contê-lo. Por isso, deveis acalmar sua ira com benevolência e afogar sua calúnia com amorosa Compreensão.

E a Compreensão vencerá.

Assim ensinei eu a Noé.

Assim eu vos ensino.

Naronda: A seguir, os Sete debandaram em silêncio, pois já havíamos percebido que todas as vezes que o Mestre concluía com as palavras "Assim ensinei eu a Noé", era sinal de que já não queria falar.

CAPÍTULO XVI

De Credores e de Devedores
Que é o Dinheiro?
Rustidion é perdoado de sua Dívida
para com a Arca

Naronda: Certo dia, quando os Sete e o Mestre estavam voltando do Ninho da Águia para a Arca, viram Shamadam ao portão, agitando um pedaço de papel diante de um homem prostrado a seus pés, e o ouviram dizer, com voz zangada: "Tua dívida esgota minha paciência. Já não posso ser tolerante. Ou pagas já, ou apodreces na prisão!"

Reconhecemos o homem como sendo Rustidion, um dos muitos arrendatários da Arca, que estava devendo certa soma de dinheiro a ela. Ele estava alquebrado tanto pelos farrapos como pelos anos e suplicava ao Superior que lhe desse prazo para pagar os juros, dizendo que, recentemente, em uma só semana havia perdido o único filho e sua única vaca, em consequência do que sua velha esposa havia sido acometida de paralisia. O coração de Shamadam, porém, não se enternecia.

O Mestre foi ao encontro de Rustidion e, tomando-o delicadamente pelo braço, disse:

MIRDAD: Levanta-te, meu Rustidion. Tu também és uma imagem de Deus, e a imagem de Deus não deve curvar-se diante de sombra alguma. (E voltando-se para Shamadam) Mostra-me o título da dívida.

Naronda: Shamadam, que havia um momento estava tão furioso, para espanto de todos tornou-se mais dócil que um cordeiro e, humildemente, passou ao Mestre o papel que tinha na mão, papel esse que o Mestre pegou, examinou minuciosamente por muito tempo, enquanto Shamadam, embotado, olhava e não dizia nada, como se estivesse sob um encantamento.

MIRDAD: O fundador desta Arca não era agiota. Por acaso ele vos legou dinheiro que devêsseis emprestar com usura? Será que ele vos legou bens móveis para dar como parte de pagamento ou terras para arrendar e acumular furtivamente os lucros desses negócios? Deixou-vos ele o suor e o sangue de vosso irmão, e deixou-vos ele prisões para aqueles cujo suor drenastes e cujo sangue sugastes até a última gota?

Uma Arca, um altar e uma luz foi o que ele vos legou — nada mais. Uma arca, que é seu corpo vivo; um altar, que é seu destemido coração; uma luz, que é sua fé ardente. E essas coisas ele vos ordenou que as conservásseis intactas e puras, em um mundo que baila ao som das flautas da Morte e chafurda no pântano da iniquidade devido à falta de fé.

Para que os cuidados do corpo não vos distraíssem o espírito, foi-vos permitido viver da caridade dos fiéis, e nunca, desde que a Arca foi lançada, houve falta de caridade.

Mas, ai! Essa caridade vós agora a transformastes em maldição, tanto para vós como para os caridosos, pois com suas doações subjugais os doadores. Vós os açoitais com as mesmas cordas que fiaram para vós. Vós os desnudais das próprias roupas que teceram para vós. Vós os matais de fome com o próprio pão que assam para vós. Vós construís prisões para eles com as próprias pedras que cortaram e assentaram para vós. Para eles fazeis jugos e esquifes com a própria madeira que vos forneceram para vos aquecerdes. Emprestai-lhes, com usura, seu próprio suor e sangue.

Que é o dinheiro, pois, senão suor e sangue dos homens, cunhados em moedas pelos ardilosos, para que com eles algemem os homens? Que é a riqueza senão o suor e o sangue dos homens, armazenados por aqueles que suam e sangram o mínimo, para com eles oprimir aqueles que suam e sangram o máximo?

Ai daqueles que queimam a mente e o coração e assassinam suas noites e seus dias para acumular riquezas, pois não sabem o que estão acumulando!

O suor das prostitutas, dos assassinos e dos ladrões, o suor dos tuberculosos, dos leprosos e dos paralíticos, o suor dos cegos, dos coxos e dos mutilados, com o suor do lavrador e de seu boi, do pastor e seus carneiros, e do ceifeiro e do respigador — de todos estes e de muitos outros armazena aquele que acumula riquezas.

O sangue do órfão e do extraviado, do déspota e do mártir, do iníquo e do justo, do que rouba e do que é roubado, o sangue dos carrascos e daqueles que eles executam, o sangue das sanguessugas e dos fraudadores e daqueles que são sugados e fraudados — de todos estes e de muitos outros armazena aquele que acumula riquezas.

Sim, ai daqueles cujas riquezas e cujo estoque para negociar é o suor e o sangue dos homens! Porque, no final das contas, suor e sangue cobrarão seu preço. E terrível será o preço, e medonho o ajuste de contas.

Emprestar, e emprestar a juros! Realmente é ingratidão por demais impudente para perdoar-se.

Afinal, que tendes vós para emprestar? Não é vossa própria vida uma dádiva? Se Deus quisesse cobrar juros pelo mais ínfimo dos presentes que vos deu, com que meios pagaríeis?

Não é este mundo um tesouro público, onde cada homem e cada coisa depositam tudo o que têm para a manutenção de todos?

Por acaso a cotovia vos empresta seu canto, ou a fonte sua água efervescente?

E o carvalho empresta sua sombra, ou a tamareira suas melífluas tâmaras?

Empresta o carneiro sua lã, e a vaca seu leite, a juros?

E as nuvens, vendem-vos sua chuva, e o Sol, seu calor e sua luz?

Que seria de vossa vida sem essas coisas e miríades de outras? E qual dentre vós pode dizer que homem ou que coisa depositou o máximo e qual deles confiou o mínimo no tesouro do mundo?

Podes tu, Shamadam, calcular quais foram as contribuições de Rustidion ao tesouro da Arca? Ainda assim, queres emprestar-lhe suas próprias contribuições — talvez apenas parte insignificante delas — e, além disso, cobrar-lhe juros. Ainda assim queres enviá-lo para a prisão e deixá-lo lá para apodrecer?

Quais os juros que exiges de Rustidion? Não vês como teu empréstimo foi vantajoso para ele? Que melhor pagamento queres do que um filho morto, uma vaca morta e uma esposa paralítica? Que maiores juros exigir do que os trapos embolorados que lhe cobrem o corpo alquebrado?

Ah, esfrega os olhos, Shamadam. Desperta, antes que te seja exigido, também, que pagues tuas dívidas com juros e, não podendo fazê-lo, sejas arrastado para a prisão e deixado lá para apodrecer.

O mesmo digo a todos vós, companheiros. Esfregai os olhos e despertai.

Dai quando puderdes e tudo o que puderdes, mas jamais empresteis, senão tudo o que tiverdes, inclusive vossa vida, tornar-se-á um empréstimo, e um empréstimo que está vencendo agora. Sereis considerados insolventes e lançados à prisão.

Naronda: O Mestre olhou, então, novamente para o papel que tinha nas mãos e deliberadamente o fez em pedaços, os quais lançou ao vento. Voltando-se então para Himbal, que era o tesoureiro, disse-lhe:

MIRDAD: Dá a Rustidion o necessário para comprar duas vacas e cuidar de sua esposa e de si próprio até o fim de seus dias.

E tu, Rustidion, vai em paz. Estás livre de tua dívida. Cuida para que jamais te tornes credor, *pois a dívida daquele que empresta é de longe maior e mais pesada do que a dívida daquele que toma emprestado.*

CAPÍTULO XVII

Shamadam recorre ao Suborno em sua luta contra Mirdad

Naronda: Durante muitos dias o caso de Rustidion foi o assunto predominante na Arca. Micayon, Micaster e Zamora louvavam o Mestre com veemência. Zamora dizia que ele abominava até olhar ou tocar dinheiro. Bennoon e Abimar aprovavam e desaprovavam sem entusiasmo. Quanto a Himbal, reprovava abertamente dizendo que o mundo jamais poderia passar sem dinheiro, e que a riqueza era a justa recompensa de Deus à economia e ao trabalho, assim como a pobreza era a evidente punição de Deus para a indolência e o desperdício, e que até o fim dos tempos haveria credores e devedores entre os homens.

Entrementes, Shamadam andava ocupadíssimo em restaurar seu prestígio como Superior.

Chamou-me, uma vez, em particular, para falar-me em sua cela, onde me disse o seguinte:

— Tu és o escriba e o historiador desta Arca e és filho de um homem pobre. Teu pai não possui terras, mas tem sete filhos e a esposa, para os quais deve trabalhar e providenciar as necessidades básicas. Não registres nenhuma palavra desse infeliz episódio, pois do contrário os que vierem depois se rirão de Shamadam. Afasta-te desse réprobo Mirdad e farei de teu pai um proprietário, enchendo-lhe totalmente os celeiros e o cofre.

Ao que respondi dizendo que Deus cuidaria de meu pai e de sua família muito melhor do que jamais poderia Shamadam fazê-lo. Quanto a Mirdad, eu o considerava meu mestre e libertador e preferiria abandonar minha vida a abandoná-lo. E, com referência aos anais da Arca, eu os manteria fielmente e do melhor modo que soubesse e pudesse.

Mais tarde, vim a saber que Shamadam fizera ofertas similares a cada um dos companheiros; com que resultado não saberia dizer. Era de notar-se, porém, que Himbal já não era tão constante quanto antes em seu comparecimento ao Ninho da Águia.

CAPÍTULO XVIII

Mirdad adivinha a morte do Pai de Himbal e as circunstâncias em que se dera
Ele fala da Morte
O Tempo é o maior Prestidigitador
A Roda do Tempo, seu Aro e seu Eixo

Naronda: Muita água já correra pelas montanhas abaixo e desembocara no mar quando mais uma vez os Companheiros, exceto Himbal, se reuniram em volta do Mestre, no Ninho da Águia.

O Mestre estava falando sobre a Onivontade. Subitamente, porém, parou e disse:

MIRDAD: Himbal está em aflição e nos procuraria para encontrar conforto, mas seus pés estão muito envergonhados para que possam trazê-lo aqui. Vai e ajuda-o, Abimar.

Naronda: Abimar foi-se e em pouco voltava com Himbal, que tremia e soluçava, tendo no rosto uma expressão de profunda infelicidade.

MIRDAD: Vem para perto de mim, Himbal.

Ah, Himbal, Himbal! Porque teu pai morreu, tu deixas o pesar corroer-te o coração e converter-lhe o sangue em lágrimas. Que farás quando toda a tua família morrer? Que farás quando todos os pais, e todas as mães, e todas as irmãs e irmãos deste mundo forem para além do alcance de tuas mãos e olhos?

Himbal: Ah, Mestre! Meu pai faleceu de morte violenta. Um boi que tinha comprado recentemente o chifrou na barriga e lhe esmagou o crânio ainda anteontem. Acabo de sabê-lo por um mensageiro. Ai de mim! Ah, ai de mim!

MIRDAD: E ele morreu, ao que parece, justamente quando a fortuna deste mundo começava a sorrir-lhe.

Himbal: Assim é, Mestre. É isso mesmo.

MIRDAD: E a dor de sua morte é mais aguda porque o boi havia sido comprado com o dinheiro que tu lhe enviaste.

Himbal: Assim é, Mestre. É isso mesmo. Ao que parece, vós sabeis todas as coisas.

MIRDAD: Dinheiro esse que era o preço do teu amor por Mirdad.

Naronda: Himbal nada mais pôde dizer, pois estava afogado em lágrimas.

MIRDAD: Teu pai não está morto, Himbal. Nem estão mortas ainda sua forma e sua sombra. Mas estão mortos verdadeiramente teus sentidos para a forma e a sombra alteradas de teu pai, pois há formas tão delicadas, com sombras tão atenuadas, que os olhos grosseiros do homem não podem detectar.

A sombra de um cedro na floresta não é a mesma que a sombra de um cedro que se tornou mastro de um navio, ou pilar de um templo, ou um patíbulo. Nem é a sombra daquele cedro a mesma ao sol e à luz da lua ou das estrelas, ou na névoa púrpura da aurora.

No entanto, aquele cedro, não importa quanto haja sido transformado, continua vivendo como um cedro, embora os outros cedros da floresta já não o reconheçam como o irmão de antigamente.

Pode um bicho-da-seda que está sobre a folha reconhecer uma irmã na larva que se transforma no casulo de seda?

Ou pode a larva reconhecer uma irmã na mariposa da seda que está voando?

Pode o grão de trigo na terra reconhecer seu parentesco com o talo de trigo acima da terra?

Podem os vapores no ar, ou as águas no mar, reconhecer como irmãs e irmãos os pingentes de gelo em uma fenda da montanha?

Pode a Terra reconhecer como estrela-irmã o meteoro lançado sobre ela das profundezas do Espaço?

Pode o carvalho ver a si mesmo na bolota?

Porque teu pai está agora em uma luz à qual teus olhos não estão acostumados e em uma forma que não podes discernir, dizes que teu pai já não existe. Mas o ser material do Homem, não importa para onde tenha sido transportado e quanto haja sido modificado, é forçado a projetar uma sombra até que se haja dissolvido totalmente na luz do Ser Divino do Homem.

Um pedaço de madeira, seja ele hoje um galho verde na árvore ou uma cavilha na parede amanhã, continua a ser madeira e a mudar de forma e sombra até ser consumido pelo fogo dentro dele. Do mesmo modo o Homem continua a ser homem, tanto quando vivo como quando morto, até que o Deus dentro dele o consuma; o que quer dizer: até que ele *compreenda* sua unicidade com O Um. Isso, porém, não se cumpre no piscar de olhos que o homem gosta de chamar de tempo de uma vida.

Todo Tempo é o tempo de uma vida, meus Companheiros.

Não há paradas e começos no Tempo. Nem há caravançarás onde os viajantes possam parar para refrescar-se e descansar.

O Tempo é uma continuidade que se sobrepõe a si mesmo. Sua popa está ligada a sua proa. Nada é finalizado e descartado no Tempo; e nada tem início nem fim.

O Tempo é uma roda criada pelos sentidos, e são os próprios sentidos que a fazem girar na vastidão do Espaço.

Vós sentis a estonteante mudança das estações e acreditais, portanto, que tudo está preso nas garras da mudança. Entretanto admitis, com isso, que o poder que vela e desvela as estações é eternamente único e sempre o mesmo.

Sentis o crescimento e a decadência das coisas e, desalentados, declarais que a decadência é o fim de tudo que cresce. Contudo, reconheceis que a força que faz as coisas crescer e decair, ela mesma não cresce nem decai.

Vós sentis a velocidade do vento em relação à da brisa e dizeis que o vento é, de longe, o mais rápido, mas apesar disso admitis que o que move o vento e o que move a brisa é um e o mesmo, e nem corre com o vento, nem engatinha com a brisa.

Quão crédulos sois! Como vos deixais enganar com cada truque que vossos sentidos vos aplicam! Onde está vossa Imaginação? Somente com ela podeis ver que todas as mudanças que vos deixam atônitos não são mais do que truques de prestidigitação.

Como pode o vento ser mais rápido do que a brisa? Não é a brisa que dá origem ao vento? Não carrega o vento a brisa consigo?

Vós, andarilhos na Terra, como medis as distâncias que caminhais em passos e em léguas? Tanto faz irdes perambulando vagarosamente como a galope, não estais sendo carregados pela velocidade da Terra por espaços e regiões para onde a própria Terra está sendo levada? Não é, pois, vossa senda igual à senda da Terra? Não é a Terra, por sua vez, transportada por outros corpos, tendo sua velocidade igualada à desses corpos?

Sim, o lento é a mãe do célere. O célere é o veículo do lento. E a lentidão e a celeridade são inseparáveis em cada ponto do Tempo e do Espaço.

Como dizeis que o crescimento é crescimento e a decadência é decadência e que um é inimigo do outro? Alguma coisa já nasceu senão de algo decaído? E já alguma coisa decaiu senão de algo em crescimento?

Não estais crescendo por meio de uma decadência contínua? Não estais decaindo por meio de um crescimento contínuo?

Não são os mortos o subsolo dos vivos e os vivos os celeiros dos mortos?

Se o crescimento é filho da decadência e a decadência, filha do crescimento; se a Vida é mãe da Morte e a Morte, mãe da Vida, então em verdade ambas são uma só em cada ponto do Tempo e do Espaço. Em verdade, vossa alegria por viver e por crescer é tão tola quanto vossa dor por morrer e por decair.

Como dizeis que só o Outono é a estação das uvas? Em verdade vos digo que a uva também está madura no Inverno, quando ela não é mais que seiva sonolenta pulsando imperceptivelmente e sonhando seus sonhos na videira; e também na Primavera, quando ela surge em tenros cachos de bagas de esmeralda; e também no Verão, quando os cachos se espalham e as bagas incham e suas bochechas se tingem com o ouro do Sol.

Se cada estação traz em si as outras três, então, na verdade, todas as estações são uma só em cada ponto do Tempo e do Espaço.

Sim, o Tempo é o maior prestidigitador, e os homens, os maiores simplórios.

Muito semelhante ao esquilo em sua roda é o Homem que, tendo posto a roda do Tempo a girar, está tão cativo e arrebatado pelo movimento, que já não pode crer que é ele mesmo o motor, nem pode ele "achar tempo" para fazer parar o burburinho do Tempo.

Tal como o gato que desgasta a língua lambendo uma pedra de amolar na ilusão de que o sangue que está lambendo roreja da pedra, o homem lambe o próprio sangue, derramado no aro do Tempo, e mastiga a própria carne, dilacerada pelos raios do Tempo, na ilusão de que sejam o sangue e a carne do Tempo.

A roda do Tempo gira na vastidão do Espaço. Em seu aro estão todas as coisas perceptíveis pelos sentidos, que nada podem perceber, senão no Tempo e no Espaço. Assim, as coisas continuam aparecendo e desaparecendo. O que desaparece para um, em certo ponto do Tempo e do Espaço, aparece para outro em outro ponto. O que pode ser em cima para um, é embaixo para outro. O que pode ser dia para um, para outro é noite, dependendo do "Quando" e do "Onde" do observador.

Uma só é a estrada da Vida e da Morte, ó monges, sobre o aro da roda do Tempo, pois o movimento em círculo jamais pode atingir um fim e jamais se consome. E todo movimento no mundo é um movimento em círculo.

Então, o Homem jamais se libertará do círculo vicioso do Tempo? Sim, o Homem se libertará, pois ele é herdeiro da santa Liberdade de Deus. A roda do Tempo gira, mas seu eixo está sempre em repouso. Deus é o eixo da roda do Tempo. Embora todas as coisas girem à volta dEle no Tempo e no Espaço, Ele é sempre eterno, ilimitado e estático. Embora todas as coisas procedam de Seu Verbo, Seu Verbo é tão eterno e ilimitado quanto Ele.

No eixo tudo é paz. No aro, tudo é comoção. Onde preferis estar?

Digo-vos, deslizai do aro do Tempo para o eixo e vos poupareis da náusea do movimento. Deixai o Tempo girar em volta de vós, porém não gireis vós com o Tempo.

CAPÍTULO XIX

Lógica e Fé
Autonegação é autoafirmação
Como deter a Roda do Tempo
Chorar e Rir

Bennoon: Perdoai-me, Mestre, mas vossa lógica deixa-me confuso por sua ilogicidade.

MIRDAD: Não me admira, Bennoon; tu foste chamado "o juiz". Insistes sobre a *lógica* do caso antes de poder decidir sobre ele. Tens sido juiz tanto tempo e ainda não descobriste que a única utilidade da Lógica é libertar o Homem da Lógica e guiá-lo à Fé que conduz à Compreensão?

A Lógica é a imaturidade tecendo suas teias de trama fina com as quais pretende capturar o beemote[13] do conhecimento. Quando a Lógica atinge a maturidade, ela estrangula-se nas próprias teias e então se transmuta em Fé, que é o conhecimento mais profundo.

A Lógica é uma muleta para o aleijado, mas uma carga para quem tem pés ligeiros, e maior carga ainda para quem tem asas.

13: Termo bíblico que designa animal muito grande e poderoso (Jó 40:15-24) (N.T.).

A Lógica é a Fé decrépita. A Fé é a Lógica madura. Quando tua lógica atingir a maturidade, Bennoon, como logo se dará, tu já não falarás em Lógica.

Bennoon: Para deslizar do aro do Tempo para o eixo, temos necessariamente de negar a nós mesmos. Pode o homem negar sua própria existência?

MIRDAD: Para isso, realmente terás de negar o ser que é um joguete nas mãos do Tempo, e assim, afirmar o Ser que é imune às prestidigitações do Tempo.

Bennoon: Pode a negação de um ser constituir a afirmação de outro?

MIRDAD: Sim, negar o ser é afirmar o Ser. Quando alguém está morto para a mudança, então ele nasce para a imutabilidade. A maior parte dos homens vive para morrer. Felizes são os que morrem para viver.

Bennoon: No entanto, preciosa é a identidade do homem para o homem. Como pode ele submergir em Deus e ainda estar consciente da própria identidade?

MIRDAD: É uma perda para o riacho perder-se no Mar e assim tornar-se consciente de si mesmo como Mar? Para o Homem, perder sua identidade em Deus é somente perder sua sombra e encontrar a essência sem sombra de sua existência.

Micaster: Como pode o Homem, criatura do Tempo, libertar-se das garras do Tempo?

MIRDAD: Assim como a Morte te livrará da Morte e a Vida te libertará da Vida, assim o Tempo te emancipará do Tempo.

O Homem ficará tão cansado da mudança, que tudo nele ansiará, e ansiará com irredutível paixão, por Aquilo que é mais poderoso do que a mudança, e com certeza ele o encontrará em si mesmo.

Felizes os que anseiam, pois estão já no limiar da Liberdade. É a eles que busco; é para eles que prego. Não vos escolhi porque ouvi vosso anseio?

Porém, ai daqueles que impulsionam as voltas do Tempo e tentam encontrar nisso sua liberdade e sua paz. Tão logo sorriem pelo nascimento, já são forçados a chorar pela morte. Tão logo se saciam, e já são exauridos. Mal acabam de capturar a pomba da paz, e ela se transforma, em suas mãos, no abutre da guerra. Quanto mais pensam que sabem, menos em verdade conhecem. Quanto mais avançam, mais, na verdade, retrocedem. Quanto mais alto sobem, mais baixo caem.

Para esses, minhas palavras serão vagos e irritantes murmúrios, serão como orações no hospício ou como tochas acesas diante de cegos. Enquanto também eles não ansiarem pela Liberdade, não abrirão os ouvidos para minhas palavras.

Himbal: (Chorando) Não só me abristes os ouvidos, Mestre, mas também o coração. Perdoai o Himbal surdo e cego de ontem.

MIRDAD: Suprime as lágrimas, Himbal. Uma lágrima não se torna um olho que procura por horizontes além dos domínios do Tempo e do Espaço.

Deixa que aqueles que riem quando sentem as cócegas dos dedos astutos do Tempo chorem quando sua pele for despedaçada pelas unhas dele.

Deixa que aqueles que dançam e cantam à radiante Mocidade cambaleiem e gemam às rugas da Velhice.

Deixa que os foliões nos carnavais do Tempo cubram a cabeça com cinzas nos funerais do Tempo.

Tu, porém, deves sempre estar sereno. No caleidoscópio da mudança, procura somente o imutável.

Nada há, no Tempo, que valha uma lágrima. Nada há que valha um sorriso. Tanto a face que sorri como a que chora são igualmente indecorosas e distorcidas.

Queres evitar o sal das lágrimas? Evita, então, as contorções do riso.

Uma lágrima, ao evaporar, torna-se uma risadinha. Uma risadinha, quando condensada, torna-se uma lágrima.

Não sejas nem volátil para a alegria nem condensável para a tristeza, mas serenamente igual para ambos.

CAPÍTULO XX

Para onde iremos depois que morrermos? Do Arrependimento

Micaster: Mestre, para onde vamos depois que morremos?
MIRDAD: Onde estás agora, Micaster?
Micaster: No Ninho da Águia.
MIRDAD: Pensas tu que este Ninho da Águia é grande o bastante para conter-te? Pensas que esta Terra é o único lar do Homem?
Vosso corpo, embora circunscrito ao Tempo e ao Espaço, foi extraído de tudo o que está no Tempo e no Espaço. Aquilo de vós que veio do Sol vive no Sol. Aquilo de vós que veio da Terra vive na Terra. E assim é com todas as outras esferas e os ínvios espaços entre elas.
Só o tolo gosta de pensar que a única morada do Homem é a Terra e que as miríades de corpos que flutuam no Espaço são meros ornamentos para a morada do Homem e distração para seus olhos.
A Estrela da Manhã, a Via Láctea, as Plêiades, não são menos moradas para o Homem do que esta Terra. Cada vez que elas emitem um raio que lhe penetra os olhos, elevam-no até elas. Cada vez que ele passa debaixo delas, atrai-as para si.

Todas as coisas estão incorporadas no Homem, e o Homem está, por sua vez, nelas incorporado. O Universo é um só corpo. Comungai com a menor partícula dele, e comungareis com tudo.

Assim como morreis continuamente enquanto viveis, assim vivereis continuamente quando mortos; se não neste corpo, então em um corpo de outra forma, mas continuareis a viver em um corpo, até serdes dissolvidos em Deus, ou seja, até que tenhais vencido toda mudança.

Micaster: Voltamos a esta Terra enquanto viajamos de mudança em mudança?

MIRDAD: A lei do Tempo é repetição. Aquilo que uma vez ocorreu no tempo está fadado a ocorrer de novo e de novo. No caso do Homem, os intervalos podem ser longos ou breves, dependendo da intensidade do desejo e da vontade de repetir de cada homem.

Quando passais do ciclo conhecido como vida para o ciclo conhecido como morte, carregando convosco sedes insaciadas pela Terra e fomes que não estão fartas das paixões terrenas, então o magneto da Terra vos atrai novamente a seu seio. E a Terra vos amamentará, e o Tempo vos desmamará, vida após vida e morte após morte, até que vós mesmos vos desmameis, de uma vez por todas, por vossa própria vontade e consentimento.

Abimar: Tem nossa Terra poder sobre vós também, Mestre? Pois vós vos assemelhais a um de nós.

MIRDAD: Eu venho quando quero; e quando quero me vou. Venho para libertar os arrendatários da Terra de sua escravidão à Terra.

Micayon: Quero ser desmamado para sempre da Terra. Como poderei fazê-lo, Mestre?

Mirdad: Amando a Terra e todos os seus filhos. Quando o Amor for o único saldo de todas as tuas contas com a Terra, então a Terra te dará quitação de teu débito para com ela.

Micayon: Mas Amor é apego, e apego é escravidão.

Mirdad: Não, o Amor é a única libertação do apego. Quando amas tudo, a nada estás apegado.

Zamora: Pode alguém, pelo Amor, escapar à repetição de suas transgressões contra o Amor e, desse modo, fazer parar a roda do Tempo?

Mirdad: Tu podes consegui-lo pelo Arrependimento. Uma maldição proferida por tua língua procurará outra pousada quando voltar e encontrar tua língua coberta de bênçãos amorosas. Assim, o Amor bloqueará a repetição daquela maldição.

Um olhar concupiscente procurará um olho concupiscente quando voltar e encontrar o olho-mãe transbordante de olhares amorosos.

Assim o Amor deterá a repetição daquele olhar concupiscente.

Um desejo maldoso emitido por um coração maldoso procurará um ninho em outro lugar quando voltar e encontrar o coração-mãe repleto de desejos amorosos. Assim o Amor impedirá o renascimento daquele desejo maldoso.

Isso é Arrependimento.

O Tempo nada poderá repetir para ti senão Amor, quando o Amor tornar-se teu único saldo. Quando uma única coisa é repetida em todos os lugares e em todos os instantes, ela se torna uma constância que preenche todo o Tempo e o Espaço e, assim, aniquila ambos.

Himbal: No entanto, ainda há uma coisa que me perturba o coração e anuvia minha compreensão, Mestre: por que meu pai morreu dessa morte e não de outra?

CAPÍTULO XXI

A Sagrada Onivontade
Por que as coisas acontecem como acontecem e quando elas acontecem

MIRDAD: É estranho que vós, filhos do Tempo e do Espaço, ainda não tenhais consciência de que o Tempo é a memória universal inscrita nas tábuas do Espaço.

Se vós, limitados como sois pelos sentidos, podeis lembrar-vos de coisas ocorridas entre o vosso nascimento e a vossa morte, quanto mais não pode o Tempo, que já era antes de nascerdes e durará infinitamente após vossa morte?

Eu vos digo que o Tempo se lembra de absolutamente tudo — não só daquilo de que tendes vívidas recordações, mas também das coisas de que não estais cientes.

Isso porque não há esquecimento no Tempo; não, nem do mais leve movimento, alento ou capricho. Tudo o que é guardado na memória do Tempo fica profundamente gravado sobre as coisas no Espaço.

A própria terra que pisais, o próprio ar que respirais, a própria casa em que morais, podem prontamente revelar-vos os mínimos detalhes nos anais de vossa vida, passada, presente e do porvir, tivésseis vós a capacidade e a força de ler e a perspicácia de entender o sentido.

Na vida, como na morte; na Terra, como além da Terra, jamais estais sós, mas na constante companhia das coisas e dos seres que têm seu quinhão em vossa vida e em vossa morte, assim como vós tendes o vosso na vida e na morte deles. Assim como compartilhais deles, assim eles compartilham de vós; assim como os buscais, assim eles vos buscam.

O Homem tem uma vontade em todas as coisas, e cada coisa tem uma vontade no Homem. O intercâmbio segue sem interrupção. A memória falha do Homem, no entanto, é um contador lamentavelmente ruim. Já a infalível memória do Tempo conserva sempre em dia um balanço muito exato das relações do Homem com seus semelhantes e com todos os outros seres do Universo, e força-o a acertar suas contas a cada piscar de olhos, vida após vida e morte após morte.

Um raio jamais atingiria uma casa se essa casa não o atraísse para ela. A casa é tão responsável por sua ruína quanto o raio.

Um touro jamais chifraria um homem, a não ser que esse homem o convidasse a chifrá-lo. E, em verdade, esse homem tem mais a responder pelo seu sangue do que o touro.

A vítima afia o punhal do homicida, e ambos desferem a estocada fatal.

Quem é roubado dirige os movimentos daquele que rouba, e ambos cometem o roubo.

Sim, o Homem convida suas próprias calamidades e, esquecendo-se de quando, como e onde escreveu e enviou os convites, protesta contra os hóspedes importunos. Mas o Tempo não esquece; e o Tempo, na devida estação, entrega cada convite no endereço certo; e o Tempo conduz cada convidado à residência do anfitrião.

Eu vos digo, jamais censureis qualquer hóspede, a fim de que ele não vingue seu orgulho ferido, demorando-se em demasia ou tornando suas visitas mais frequentes do que seria sua intenção.

Sede bondosos e hospitaleiros para com todos os vossos convidados, seja qual for sua expressão ou seu comportamento; pois, em realidade, eles são somente vossos credores. Dai especialmente aos mais ofensivos ainda mais do que lhes é devido, para que possam ir embora gratos e satisfeitos e para que, se vos visitarem novamente, voltem como amigos e não como credores.

Tratai cada convidado como hóspede de honra, a fim de que, ganhando-lhes a confiança, possais descobrir os motivos ocultos de sua visita.

Aceitai uma desventura como se fosse ventura, pois uma desventura, uma vez compreendida, logo se transforma em ventura, enquanto que uma ventura mal interpretada rapidamente se torna desventura.

Vós escolheis a hora, o local e também o modo de vosso nascimento e de vossa morte, apesar de vossa memória indisciplinada, que nada é além de um emaranhado de falsidades, com buracos e brechas evidentes.

O pseudossábio declara que os homens não têm nenhuma influência em seu nascimento e em sua morte. Os indolentes, que olham de esguelha para o Tempo e para o Espaço através das estreitas órbitas dos olhos, consideram de imediato a maioria dos acontecimentos no Tempo e no Espaço como sendo acidentes. Cuidado com a presunção e o logro deles, meus Companheiros.

Não existem acidentes no Tempo e no Espaço. Todas as coisas são ordenadas pela Onivontade, que nunca erra em nada nem negligencia algo.

Assim como as gotas de chuva se reúnem em fontes, e as fontes fluem para encontrar-se nos riachos e ribeirões, e como ribeirões e riachos ofertam-se em forma de afluentes dos rios maiores, e como rios poderosos levam suas águas aos mares, e como mares juntam-se no Oceano Maior — assim, cada vontade de cada criatura, inanimada ou animada, corre como afluente para a Onivontade.

Eu vos digo que tudo tem vontade. Mesmo a pedra, aparentemente tão surda, e muda, e sem vida, não é isenta de vontade. Senão, ela não existiria, e em nada influiria, e nada a afetaria. Sua consciência de querer e de ser pode diferir da do homem em grau, porém não em substância.

Até que ponto podeis, em verdade, asseverar que sois conscientes de um único dia de vossa vida? Na realidade, apenas de uma parcela insignificante.

Se vós, dotados de cérebro, memória e meios de registrar emoções e pensamentos, ainda sois inconscientes da maior parte de um único dia de vossa vida, por que vos admirais de que a pedra seja tão inconsciente de sua vida e vontade?

Viveis e vos moveis tanto e, mesmo assim, não estais conscientes da vida e do movimento; quereis tanto e, mesmo assim, não tendes consciência da vontade; mas a Onivontade é consciente de vossa inconsciência e da de toda criatura no Universo.

Como é seu costume, a Onivontade se redistribui a cada momento do Tempo e a cada ponto do Espaço, devolvendo a cada homem e a cada coisa aquilo que ele ou ela desejaram, nem mais nem menos, quer o tenham querido conscientemente ou não. Os homens, porém, por não o saberem, consternam-se muito frequentemente com o que lhes cabe como quinhão da sacola da Onivontade, que tudo contém; e os homens protestam com tristeza, e culpam, desalentados, o Destino caprichoso.

Não é o Destino, ó monges, que é caprichoso; pois Destino não é mais que outro nome da Onivontade. É a vontade do Homem que ainda é muito caprichosa, muito instável e muito incerta de seu curso. Hoje se precipita para o oriente, e amanhã para o ocidente. Aqui, rotula esta coisa como sendo um bem, e ali a deprecia como sendo um mal; agora aceita este homem como amigo, somente para combatê-lo mais tarde como inimigo.

Vossa vontade não deve ser caprichosa, meus Companheiros. Sabei que todas as vossas relações com coisas e homens são determinadas pelo que quereis deles e pelo que eles querem de vós. E o que quereis dos homens e das coisas determina o que eles querem de vós.

Portanto, já vos disse antes, e vos digo agora: Tomai cuidado com o modo como respirais, com o modo como falais, com o que desejais, pensais e fazeis, porque vossa vontade está escondida até mesmo em cada respiração, em cada palavra, em cada desejo, pensamento e ação. E o que está oculto de vós está sempre manifesto à Onivontade.

Não queirais obter de nenhum homem um prazer que para ele seja uma dor, para que vosso prazer não vos doa mais do que a própria dor.

Nem queirais obter de coisa alguma um bem que para ela seja um mal, para que não estejais querendo um mal para vós.

Desejai, sim, o amor de todos os homens e de todas as coisas; pois somente com ele vossos véus serão erguidos, e a Compreensão alvorecerá em vosso coração, permitindo, assim, a iniciação de vossa vontade nos maravilhosos mistérios da Onivontade.

Até que vos torneis conscientes de todas as coisas, não podereis ser conscientes da vontade delas em vós, nem de vossa vontade nelas.

Até que vos torneis conscientes de vossa vontade em todas as coisas, e da vontade delas na vossa, não podereis conhecer os mistérios da Onivontade.

E até que conheçais os mistérios da Onivontade, não deveis pôr a vossa contra ela; pois certamente sereis os perdedores. Saireis de cada encontro com cicatrizes e inebriados de fel. E buscareis vingar-vos, somente para acrescentardes mais cicatrizes às antigas e fazer transbordar a taça de fel.

Digo-vos, aceitai a Onivontade se quereis transformar a derrota em vitória. Aceitai, sem um murmúrio, todas as coisas que de sua misteriosa sacola caírem para vós; aceitai-as com gratidão e com a fé de que são a parte justa e devida que vos cabe na Onivontade. Aceitai-as com a vontade de compreender seu valor e seu significado.

E quando compreenderdes os caminhos ocultos de vossa própria vontade, compreendereis a Onivontade.

Aceitai o que não conheceis, para que isso vos auxilie a conhecê-lo. Ressenti-vos contra ele, e continuará sendo um quebra-cabeça irritante.

Deixai que vossa vontade seja uma serva da Onivontade até que a Compreensão torne a Onivontade uma serva de vossa vontade.

Assim ensinei eu a Noé.

Assim eu vos ensino.

CAPÍTULO XXII

Mirdad alivia Zamora de seu Segredo e fala do Homem e da Mulher, do Casamento, do Celibato e do Vitorioso

MIRDAD: Naronda, minha fiel memória! Que te dizem estes lírios?

Naronda: Nada que eu possa ouvir, meu Mestre.

MIRDAD: Eu ouço-os dizer: "Amamos Naronda e com alegria lhe oferecemos nossa fragrante alma como prova de nosso amor". Naronda, meu constante coração! Que te dizem as águas desta lagoa?

Naronda: Nada que eu possa ouvir, meu Mestre.

MIRDAD: Eu as ouço dizer: "Amamos Naronda, por isso saciamos sua sede e a sede de seus amados lírios".

Naronda, meu olho sempre alerta! Que te diz este dia, com todas as coisas que ele docemente embala em seus braços ensolarados?

Naronda: Nada que eu possa ouvir, meu Mestre.

MIRDAD: Eu o ouço dizer: "Eu amo Naronda, por isso embalo-o docemente em meus braços ensolarados, juntamente com o resto de minha amada família".

Com tantas coisas para amar e por elas ser amado, a vida de Naronda não está demasiado cheia para que qualquer sonho vão e pensamento fútil nela faça ninho e se ponha a chocar?

Em verdade, o Homem é o favorito do Universo. Todas as coisas alegram-se em mimá-lo, mas poucos são os que não se corrompem com esses mimos, e menos ainda os que não mordem a mão que os mima.

Para os que não se corrompem, até uma mordida de serpente é um beijo de amor; mas para o corrupto, até um beijo de amor é uma mordida de serpente. Não é assim, Zamora?

Naronda: Assim ia o Mestre dizendo, enquanto ele, Zamora e eu, em uma tarde ensolarada, regávamos alguns canteiros de flores no jardim da Arca. Zamora, que estava o tempo todo consideravelmente distraído, abatido e deprimido, voltou a si e ficou muito surpreso com a pergunta do Mestre.

Zamora: Como tudo o que o Mestre diz é verdade, isso deve ser verdadeiro.

MIRDAD: Não é verdade em teu caso, Zamora? Não foste tu envenenado por muitos beijos de amor? Não estás agora torturado pela recordação de teu amor envenenado?

Zamora: (Atirando-se aos pés do Mestre, com lágrimas brotando dos olhos) Ó Mestre! Que infantilidade e futilidade a minha, ou de qualquer homem, em tentar esconder de vossos olhos, mesmo nos profundos recessos do coração, um segredo!

MIRDAD: (Enquanto fazia Zamora levantar-se) Como é infantil e vão tentar escondê-lo até mesmo destes lírios!

Zamora: Sei que meu coração ainda não é puro, porque os sonhos que tive esta noite foram impuros.

Hoje vou expurgar o coração. Vou pô-lo nu diante de vós, meu Mestre; diante de Naronda; diante destes lírios e das minhocas que rastejam por suas raízes. Desejo aliviar minha alma de um segredo esmagador. Que esta brisa lânguida o carregue para cada criatura deste mundo.

Em minha mocidade amei uma donzela. Era mais linda que a estrela da manhã. Seu nome era de longe mais doce à minha língua do que o sono a minhas pálpebras. Quando nos falastes da oração e da corrente sanguínea, eu fui o primeiro, creio, a sorver a substância curativa de vossas palavras, pois o amor de Hoglah — era esse o nome da donzela — comandava-me o sangue, e eu sabia o que um sangue bem comandado podia fazer.

Com o amor de Hoglah, a eternidade era minha. Eu a usava como um anel de casamento; e a própria Morte eu vestia como se fosse uma cota de malha. Eu me sentia mais idoso do que todos os ontens e mais jovem do que o último amanhã que nascerá. Meus braços sustentavam os céus e meus pés propeliam a terra, enquanto muitos sóis ardentes estavam em meu coração.

Mas Hoglah morreu, e Zamora, a fênix flamejante, transformou-se em um monte de cinzas, sem nenhuma nova fênix para nascer do monte frio e sem vida. Zamora, o leão destemido, tornou-se um coelho assustadiço. Zamora, a coluna do céu, tornou-se um miserável navio naufragado em uma lagoa de águas estagnadas.

Procurei salvar o que pude de Zamora, e parti para esta Arca, esperando enterrar-me vivo em suas memórias e sombras diluvianas. Minha sorte foi chegar aqui exatamente quando um companheiro havia partido deste mundo, e fui admitido.

Durante quinze anos os companheiros desta Arca viram e ouviram Zamora, mas do segredo de Zamora jamais ouviram nem o viram. Pode ser que os muros antigos e os corredores sombrios da Arca não o ignorem. Pode ser que as árvores, as flores e os pássaros deste jardim dele saibam algo, mas certamente as cordas de minha harpa poderão contar-vos muito mais, ó Mestre, a respeito de minha Hoglah do que eu próprio.

Exatamente quando vossas palavras principiaram a aquecer e agitar as cinzas de Zamora e eu estava quase assegurado do nascimento do novo Zamora, Hoglah visita-me em sonhos, faz ferver-me o sangue e atira-me aos sombrios penhascos da realidade deste dia — uma tocha queimada, um êxtase natimorto, um monte de cinzas sem vida.

Ah, Hoglah, Hoglah!

Perdoai-me, Mestre. Não posso conter as lágrimas. Que mais pode a carne ser, senão carne? Tende piedade de minha carne. Tende piedade de Zamora.

MIRDAD: A própria piedade necessita de piedade. Mirdad não tem piedade, apenas amor em abundância por todas as coisas, mesmo pela carne; e ainda mais pelo Espírito, que toma a forma grosseira da carne unicamente para derretê-la na sua própria ausência de forma. O amor de Mirdad levantará Zamora das cinzas e fará dele um vitorioso.

Predico o Vitorioso — o Homem unificado e mestre de si mesmo.

O homem feito prisioneiro pelo amor de uma mulher e a mulher feita prisioneira pelo amor de um homem são igualmente inadequados para a preciosa coroa da Liberdade, mas o homem e a mulher tornados um pelo Amor, inseparáveis e indistinguíveis, estão realmente qualificados para o prêmio.

Não é Amor o amor que subjuga o Amante.

Não é Amor o amor que se alimenta de carne e sangue.

Não é Amor o amor que atrai a mulher para o homem, somente para gerar mais mulheres e mais homens e, assim, perpetuar sua escravidão à carne.

Predico o Vitorioso — o Homem-Fênix, que é demasiado livre para ser macho e muito sublimado para ser fêmea.

Assim como nas esferas mais densas de Vida o macho e a fêmea são unos, assim são eles unos nas esferas mais rarefeitas de Vida. O intervalo entre elas é apenas um segmento na eternidade, dominado pela ilusão da Dualidade. Os que não podem ver nem antes nem depois acreditam que esse segmento da eternidade é a própria Eternidade. Agarram-se à ilusão da Dualidade como se ela fosse o próprio âmago e essência da Vida, ignorando que a regra da Vida é a Unidade.

A Dualidade é uma etapa no Tempo. Como procede da Unidade, assim conduz também à Unidade. Quanto mais rapidamente atravessardes essa etapa, mais cedo abraçareis vossa liberdade.

E que são o homem e a mulher senão o Indivíduo inconsciente de sua individualidade e dessa forma partido em dois e forçado a sorver o fel da Dualidade, a fim de que possa ansiar pelo néctar da Unidade e, ansiando, busque-o com uma vontade e, buscando, encontre-o e possua-o, consciente de sua suprema liberdade?

Deixai que o garanhão relinche para a égua e a gazela chame pelo cervo. A própria Natureza estimula-os a isso, e abençoa-os, e aplaude seu ato, pois eles não são conscientes até agora de nenhum destino superior ao da autorreprodução.

Deixai o homem e a mulher que ainda não estão longe do garanhão e da égua, e do cervo e da gazela, buscar um ao outro nos recônditos obscuros da carne. Deixai-os ligar a licenciosidade da alcova com a licença matrimonial. Deixai-os alegrar-se com a fertilidade dos lombos e a fecundidade do ventre. Deixai-os propagar a espécie. A própria Natureza alegra-se em ser seu patrocinador e sua parteira; e a Natureza preparará para eles leitos de rosas, sem esquecer-se dos espinhos.

Mas os homens e as mulheres anelantes precisam realizar sua unidade ainda enquanto estiverem na carne; não pela comunhão da carne, mas pela Vontade de Libertação da carne e de todos os impedimentos que esta coloca em seu caminho para a perfeita Unidade e para a Sagrada Compreensão.

Frequentemente ouvis os homens falar em "natureza humana", como se esta fosse um elemento rígido, bem medido, bem definido, exaustivamente explorado e firmemente limitado por todos os lados por algo que eles denominam *Sexo*.

Satisfazer as paixões do sexo é a natureza humana. Mas controlar suas investidas e usar isso como meio para vencer o sexo é, decididamente, ir contra a natureza humana e sofrer no final. Assim dizem. Não deis ouvidos a essa conversa fiada.

Vasto demais é o Homem, e imponderável demais é sua natureza. Seus talentos são muito variados, e sua força sobremodo inexaurível. Cuidado com os que tentam colocar-lhe limites.

A carne, sem dúvida, impõe ao Homem pesado tributo, mas ele o paga somente durante certo tempo. Quem dentre vós desejaria ser vassalo por toda a eternidade? Qual vassalo não sonha em livrar-se do jugo de seu príncipe e, assim, isentar-se do pagamento de tributo?

O Homem não nasceu para ser vassalo, nem mesmo de sua virilidade. O Homem está sempre ansiando por libertar-se de toda e qualquer vassalagem, e a Liberdade seguramente será dele.

Que é um vínculo sanguíneo para aquele que deseja ser vitorioso? Uma ligação que deve ser quebrada com uma vontade.

O Vitorioso sente seu sangue vinculado a todo sangue. Consequentemente, não está preso a nenhum.

Deixai os não anelantes reproduzir a raça. Os anelantes têm outra raça para propagar: justamente a raça dos vitoriosos.

A raça dos vitoriosos não descende dos lombos e dos ventres, ao contrário, ascende do coração celibatário cujo sangue é comandado por uma vontade destemida de vencer.

Sei que vós, e muitos como vós, pelo mundo afora, têm feito votos de celibato. No entanto, longe estais de ser celibatários, como testifica o sonho de Zamora na noite passada.

Não são celibatários os que usam vestes monásticas e se encerram por trás de grossas paredes e de portões de ferro maciço. Muitos monges e freiras são mais lascivos do que os mais lascivos, embora sua carne jure — e muito verdadeiramente — que jamais comungou com outra carne. Porém, os celibatários são aqueles cujo coração e cuja mente são celibatários, quer estejam em claustros ou nos mercados públicos.

Reverenciai, meus Companheiros, a Mulher e santificai--a. Não como mãe da raça, nem como consorte ou amante, porém como gêmea do homem e sua sócia, cota por cota, na longa fadiga e sofrimento da vida dual, pois sem ela o homem não pode atravessar o segmento da Dualidade. Somente nela ele encontrará sua unidade, e nele ela encontrará sua libertação da Dualidade; e os gêmeos serão a seu tempo reunidos em um — o Vitorioso, que não é nem masculino nem feminino: o Homem Perfeito.

Predico o Vitorioso — o Homem unificado e mestre de si mesmo; e cada um de vós será um vitorioso antes que Mirdad se retire do meio de vós.

Zamora: Entristece-me o coração ouvir-vos falar em deixar-nos. Se chegar o dia em que vos procurarmos e não vos acharmos, Zamora porá, seguramente, fim a seu alento.

Mirdad: Tu podes querer muitas coisas, Zamora — podes querer todas as coisas, mas há algo que não podes querer: pôr fim à tua vontade, que é a vontade da Vida, que é a Onivontade; pois a Vida, que é Ser, jamais pode querer seu próprio não ser; nem pode o não ser ter vontade. Não, nem mesmo Deus pode acabar com Zamora.

Quanto a deixar-vos, o dia certamente chegará em que me procurareis na carne e não me achareis, pois tenho trabalho a fazer em outros lugares além desta Terra. Mas em nenhum lugar deixo meu trabalho inacabado. Alegrai-vos, portanto. Mirdad não vos deixará enquanto não houver feito de vós vitoriosos — homens unificados e perfeitos mestres de si mesmos.

Quando tiverdes conquistado o autodomínio e a Unidade, então encontrareis Mirdad como um constante morador no vosso coração, e seu nome jamais perderá o brilho em vossa memória.

Assim ensinei eu a Noé.

Assim eu vos ensino.

CAPÍTULO XXIII

Mirdad cura Sim-Sim[14] e fala da Velhice

Naronda: Sim-Sim, a mais velha vaca dos estábulos da Arca, estava doente havia cinco dias, e não tocava nem em pasto nem em água, quando Shamadam mandou que viesse o açougueiro, dizendo que seria mais prudente matar a vaca e ter lucro com a venda da carne e do couro do que deixá-la morrer e ser uma perda total.

Quando o Mestre soube disso, ficou extremamente pensativo e, imediatamente, dirigiu-se com toda pressa para o estábulo, indo diretamente à baia em que estava Sim-Sim. Os Sete o seguiram imediatamente.

Sim-Sim estava triste e quase imóvel, a cabeça muito abaixada, os olhos semicerrados, os pelos arrepiados e sem brilho. Só de quando em quando mal movia uma orelha para espantar alguma mosca impertinente. Seu grande úbere pendia murcho e vazio entre as coxas; pois a Sim-Sim, no fim de sua longa e frutífera vida, haviam sido negadas as doces preocupações da maternidade. As ancas projetavam-se, rígidas e desoladas,

---

14: *Sim-sim:* palavra que em árabe significa gergelim, ou sésamo (N.T.).

como duas lápides tumulares. As costelas e vértebras poderiam facilmente ser contadas. A cauda longa e fina, com um pesado tufo de pelos na ponta, pendia reta e enrijecida.

O Mestre aproximou-se do animal doente e começou a fazer-lhe afagos entre os chifres e os olhos e debaixo do queixo. De quando em quando, passava a mão pelas costas e pelo ventre do animal, falando-lhe durante todo esse tempo como falaria a um ser humano:

MIRDAD: Onde está o alimento regurgitado para ruminares, minha generosa Sim-Sim? Sim-Sim já deu tanto que esqueceu de deixar para si um pouco de alimento regurgitado para ruminar. E Sim-Sim ainda tem muito para dar. Seu leite, cor de neve, ainda hoje corre, escarlate, em nossas veias. Seus fortes novilhos estão puxando os pesados arados em nossos campos e ajudando-nos a alimentar muitas bocas famintas. Suas graciosas novilhas enchem nossos pastos com seus bezerros. Até mesmo seu esterco decora a nossa mesa com suculentas verduras da horta e deliciosos frutos do pomar.

Em nossas ravinas ainda soam e ressoam o bramido a plenos pulmões de Sim-Sim. Nossas fontes ainda refletem sua face benigna e amorosa. Nosso solo ainda trata com carinho e guarda com ciúme os indeléveis rastros de seus cascos.

Muito alegre está nosso capim por alimentar Sim-Sim. Muito prazeroso está nosso sol por acariciá-la. Muito felizes estão nossas brisas por deslizar sobre seu pelo macio e brilhante. Muito grato está Mirdad por conduzi-la através do deserto da Velhice e ser seu guia para outros pastos na terra de outros sóis e de outras brisas.

Muito tem Sim-Sim dado e muito tem tomado; muito mais ainda tem Sim-Sim para dar e para tomar.

Micaster: Pode Sim-Sim entender vossas palavras, para estardes a falar-lhe como se ela tivesse entendimento humano?

MIRDAD: Não é a palavra que vale, bom Micaster. É o que vibra na palavra. A isso até uma fera é suscetível. Além disso, vejo uma mulher olhando para mim pelos meigos olhos de Sim-Sim.

Micaster: De que vale falar assim à velha e fraca Sim-Sim? Tendes com isso esperança de frear a devastação da idade e encompridar a vida de Sim-Sim?

MIRDAD: Terrível carga é a Velhice, tanto para o homem como para o animal; e os homens dobram o peso dessa carga pela sua negligente descompaixão. Para com um bebê recém-nascido desfazem-se em cuidados e afeição, mas para uma pessoa curvada sob o peso dos anos reservam sua indiferença mais do que seu cuidado; seu desgosto mais do que sua simpatia. Tão impacientes são em ver um recém-nascido crescer e tornar-se adulto como em ver uma pessoa idosa ser engolida pela cova.

Os muito jovens e os muito velhos são igualmente desamparados, mas a incapacidade das crianças arrola o auxílio sacrificial e amoroso de todos, enquanto que a incapacidade dos velhos só consegue comandar o auxílio resmunguento de poucos. Em verdade, os velhos merecem mais simpatia do que as crianças.

Quando a palavra tem de bater fortemente e por muito tempo para poder ser admitida em um ouvido que já foi sensível e alerta ao mais leve sussurro;

Quando os olhos que já foram límpidos se tornam um salão de dança para as mais estranhas manchas e sombras;

Quando o pé que já fora dotado de asas se torna um peso de chumbo e a mão que moldava a vida se torna um molde quebrado;

Quando o joelho está desconjuntado, e a cabeça é um títere sobre o pescoço;

Quando a mó do moinho está gasta, e o próprio moinho é uma tenebrosa caverna;

Quando o levantar-se é suar com receio de cair, e sentar-se é sentar-se com a dolorosa dúvida de talvez nunca levantar-se de novo;

Quando comer e beber é recear as consequências do comer e do beber, e quando não comer e não beber é ser acossado pela odiosa Morte;

Sim, quando a Velhice desce sobre uma pessoa, então é chegada a hora, meus Companheiros, de emprestar a ela ouvidos e olhos e de dar-lhe mãos e pés e amparar com nosso amor as forças que a abandonam, para fazê-la sentir que ela não é, nem um pouquinho, menos querida pela Vida em sua fase decrescente do que foi em sua fase crescente de infância e juventude.

Quatro vintenas de anos podem não ser mais do que um piscar de olhos na eternidade, mas para um homem que se semeou durante quatro vintenas de anos, é muito mais do que um piscar de olhos. Ele é a ceva para todos os que colhem de sua vida. E qual a vida que não é colhida por todos?

Não estais vós colhendo, neste mesmo instante, a vida de todos os homens e mulheres que já caminharam nesta Terra? O que é vosso falar senão a colheita do falar deles? O que são vossos pensamentos senão a respiga de seus pensamentos? Vossas próprias roupas e moradas, vosso alimento, vossos implementos, vossas leis, vossas tradições e convenções, não são elas as roupas, as moradas, o alimento, os implementos, as leis, as tradições e as convenções dos que aqui estiveram e se foram embora antes?

Não colheis nenhuma coisa uma única vez, mas sim todas as coisas sempre. Vós sois os semeadores, a colheita, os ceifeiros, o campo e a eira. Se vossa colheita é pobre, olhai para a semente que semeastes em outros e para a que permitistes que eles semeassem em vós. Olhai também para o segador e sua foice, e para o campo e a eira.

Um homem idoso, cuja vida vós ceifastes e pusestes nos silos, certamente merece vosso maior cuidado. Se amargardes com vossa indiferença seus anos, que ainda são ricos em coisas para serem colhidas, aquilo que dele já colhestes e guardastes e o que ainda possais colher certamente será amargo em vossa boca. O mesmo pode-se dizer de um animal que está falecendo.

Não é justo aproveitar a colheita e depois amaldiçoar o semeador e o campo.

Sede gentis com as pessoas de todas as raças e climas, meus Companheiros. Elas são o alimento para vossa jornada em direção a Deus. Sede gentis, principalmente, com os homens de idade, para que vosso alimento não se estrague devido a vossa falta de gentileza e vossa jornada chegue a um bom termo.

Sede gentis com os animais de toda sorte e idade. Eles são vossos auxiliares mudos, mas muito fiéis, no longo e árduo preparar para a jornada; e sede, especialmente, gentis com os animais idosos, para que sua fidelidade não se transforme em infidelidade devido à dureza de vosso coração e seu auxílio não se torne um atraso.

É absoluta ingratidão prosperar com o leite de Sim-Sim e, quando ela já não tem para dar, colocar-lhe a faca do açougueiro na garganta.

Naronda: Mal havia o Mestre acabado de pronunciar essas palavras, e eis que chegaram Shamadam e o açougueiro.

Este foi diretamente a Sim-Sim. Mal a viu e o escutamos bradar em tom zombeteiro: "Como ousais dizer que esta vaca está doente e morrendo? Ela está mais sadia do que eu; a diferença é que ela está morta de fome — pobre animal — e eu não. Dai-lhe de comer".

E grande foi nosso espanto quando, ao olharmos para Sim-Sim, vimo-la ruminando. Até o coração de Shamadam enterneceu-se, e ele ordenou que levassem para Sim-Sim os mais deliciosos quitutes para gado. E Sim-Sim comeu com satisfação.

CAPÍTULO XXIV

É lícito matar para comer?

Quando Shamadam e o açougueiro haviam-se retirado, Micayon perguntou ao Mestre:

Micayon: Não é lícito, Mestre, matar para comer?

MIRDAD: Alimentar-se da Morte é tornar-se alimento da Morte. Viver das dores alheias é tornar-se presa da dor. Assim o decretou a Onivontade. Toma conhecimento disso e escolhe teu curso, Micayon.

Micayon: Se pudesse escolher, escolheria viver, como a fênix, do aroma das coisas, não de sua carne.

MIRDAD: Em verdade, uma excelente escolha. Crê, Micayon, que dia virá em que os homens viverão do aroma das coisas, que é seu espírito, e não de sua carne e de seu sangue. E esse dia não está longe para os que anseiam.

E os que anseiam sabem que a vida da carne nada mais é do que uma ponte para a Vida desencarnada.

Os que anseiam sabem que os sentidos grosseiros e inadequados são apenas vigias pelas quais se espia o mundo do sentido infinitamente apurado e adequado.

Os que anseiam sabem que toda carne que laceram, mais cedo ou mais tarde, terão de reparar com a própria carne; e todo osso que esmagam terão de reconstruir com os próprios ossos; e cada gota de sangue que derramam terão de suprir com o próprio sangue, pois essa é a lei da carne.

Os que anseiam gostariam de estar livres da servidão dessa lei. Por isso, reduzem ao mínimo suas necessidades corporais, reduzindo, assim, seu débito à carne — o qual é, em verdade, um débito à Dor e à Morte.

O que anseia é inibido pela própria vontade e anseio, ao passo que o que não anseia depende de que outros o proíbam. Muitas coisas que para o que não anseia são lícitas, o que anseia as faz ilícitas para si mesmo.

Enquanto o que não anseia agarra mais e mais coisas para guardar no bolso ou no ventre, o que anseia segue seu caminho sem bolso e com o ventre limpo do sangue e das convulsões de qualquer criatura.

O que ganha aquele que não anseia — ou pensa ganhar —, a granel o que anseia ganha em leveza de espírito e doçura de compreensão.

De dois homens que olham para um campo verdejante, um deles estima sua produção em alqueires e calcula o preço dos alqueires em prata e ouro; o outro bebe o verdor do campo com os olhos, beija cada folha com o pensamento e confraterniza em sua alma com cada radícula, e cada seixo, e cada torrão de terra.

Eu vos digo que este é o legítimo dono daquele campo, apesar de o outro ter direito irrestrito de propriedade.

De dois homens sentados em uma casa, um deles é o proprietário, e o outro, somente hóspede. O proprietário se delonga sobre o custo do prédio e de sua manutenção, sobre o valor das cortinas e das tapeçarias e dos outros ornamentos e mobília. Enquanto que o hóspede abençoa no coração as mãos que extraíram, desbastaram e deram forma às pedras; as mãos que teceram as tapeçarias e as cortinas; as mãos que invadiram a floresta e a transformaram em janelas e portas, e em cadeiras e mesas. E é enaltecido em espírito ao enaltecer a Mão Criadora que vivificou todas essas coisas.

Eu vos digo que o hóspede é o habitante permanente daquela casa, enquanto que o proprietário nominal é só uma besta de carga que carrega a casa nas costas, porém nela não mora.

De dois homens que compartilham com um bezerro o leite da mãe deste, o primeiro olha para o bezerro com o pensamento de que sua carne tenra proporcionaria uma boa refeição para ele e seus amigos festejarem seu próximo aniversário; o outro pensa no bezerro como seu irmão de leite e está repleto de afeição pelo animalzinho e por sua mãe.

Eu vos digo que o segundo é realmente alimentado pela carne daquele bezerro; enquanto que o primeiro é por ela envenenado.

Sim, há muitas coisas que são colocadas na barriga, mas deveriam ser colocadas no coração.

Muitas coisas são encerradas no bolso e na despensa, quando deveriam ser encerradas nos olhos e no nariz.

Muitas coisas são esmagadas pelos dentes, quando deveriam ser esmagadas pela mente.

O corpo precisa de muito pouco para sustentar-se. Quanto menos lhe derdes, mais ele vos dará de volta. Quanto mais lhe derdes, menos ele vos dará de volta.

Em verdade, as coisas que estão fora de vossa despensa e fora de vossa barriga vos sustentam mais do que quando estão em vossa despensa e em vossa barriga.

Uma vez que ainda não podeis viver somente da fragrância das coisas, tomai sem receio aquilo de que necessitais — porém não mais do que necessitais — do generoso coração da Terra, pois a Terra é tão hospitaleira e amorosa que o seu coração está sempre estendido diante de seus filhos.

Como poderia ser a Terra de outro modo e aonde poderia ela ir, fora de si mesma, para alimentar-se? A Terra precisa alimentar a Terra, e a Terra não é uma anfitriã miserável, pois sua mesa está sempre posta abundantemente para todos.

Da mesma maneira que a Terra vos convida para sua mesa, nada retendo fora de vosso alcance, assim também deveis convidar a Terra para vossa mesa e dizer-lhe com o maior amor e sinceridade:

"Ó mãe inefável! Assim como tu deitas o coração diante de mim, para que eu tome aquilo de que necessito, ponho eu o coração diante de ti, para que tomes aquilo de que necessitas".

Se for esse o espírito que vos guia ao comerdes do coração da Terra, então pouco importa o que comais.

Se for esse, realmente, o espírito que vos guia, então deveríeis ter a sabedoria e o amor de não roubar da Terra nenhum de seus filhos, especialmente os que vieram sentir o prazer de viver e a dor de morrer — os que chegaram ao segmento da Dualidade, pois eles também têm sua estrada para seguir, vagarosa e laboriosamente, em direção à Unidade, e sua estrada é mais longa do que a vossa. Se os detiverdes em sua marcha, eles vos deterão na vossa.

Abimar: Já que todas as coisas vivas estão fadadas a morrer, por uma ou por outra causa, por que devo ter escrúpulos em ser a causa da morte de qualquer animal?

MIRDAD: Embora seja verdade que tudo o que é vivo esteja condenado à morte, ai de quem causa a morte de qualquer coisa viva.

Assim como tu não me encarregarias de matar Naronda, sabendo que eu o amo muito e que não há desejo de sangue em meu coração, também a Onivontade não encarregaria um homem de matar outro homem ou animal, a não ser que o considerasse apto como instrumento de morte.

Enquanto os homens forem o que são, haverá furtos e roubos entre eles, e mentiras, e guerras, e homicídios, e toda sorte de paixões negras e vis.

Ai do salteador, e do saqueador, e do mentiroso, e do senhor da guerra, e do homicida, e de todo homem que alberga no coração paixões negras e vis. Porque eles, estando repletos de desgraça, são usados pela Onivontade como mensageiros da desgraça.

Mas vós, meus Companheiros, deveis limpar o coração de toda paixão negra e vil, para que a Onivontade possa achar-vos aptos a levar ao mundo sofredor a jubilante mensagem de alívio do sofrimento; a mensagem da vitória; a mensagem de libertação através do Amor e da Compreensão.

Assim ensinei eu a Noé.

Assim eu vos ensino.

CAPÍTULO XXV

O Dia da Vinha e sua Preparação
Mirdad desaparece na véspera

Naronda: Aproximava-se o Dia da Vinha e nós da Arca, incluindo o Mestre, juntamente com equipes de ajudantes voluntários que vieram de fora, estávamos ocupados, dia e noite, preparando tudo para a grande festa. O Mestre trabalhava com tanto zelo e era tão pródigo de sua força, que até mesmo Shamadam comentou o fato com evidente satisfação.

Os grandes celeiros da Arca tinham de ser varridos e caiados, e vintenas de grandes jarras de vinho e de barris tinham de ser limpos e arranjados para receber o vinho novo, enquanto que outros tantos jarros e barris contendo vinho da vindima do ano anterior tinham de ser devidamente apresentados para que os compradores pudessem provar e examinar seu conteúdo. Era costume vender, em cada Dia da Vinha, o vinho do ano anterior.

Os espaçosos pátios da Arca tinham de ser bem limpos e arrumados, e centenas de tendas e barracas ali teriam de ser armadas e construídas para que nelas se hospedassem os peregrinos e os mercadores expusessem suas mercadorias durante toda a semana que duravam as festividades.

O grande lagar tinha de ser posto em ordem e preparado para receber imensa quantidade de uvas que eram trazidas à Arca pelos seus muitos arrendatários e fregueses, nas costas de burros, mulas e camelos. Era necessário assar enorme quantidade de pão e preparar outras provisões para vender àqueles cujas provisões se houvessem esgotado ou que viessem inteiramente sem elas.

O Dia da Vinha, que a princípio era uma ocasião para ação de graças, devido ao extraordinário senso e argúcia comercial de Shamadam, havia sido prolongado para uma semana e transformado em uma espécie de feira, à qual homens e mulheres de todas as esferas de vida, de perto e de longe, acorriam, cada ano em maior número. Príncipes e pobres, lavradores e artesãos, gente que buscava lucro, gente que buscava prazer e gente que buscava outras finalidades, beberrões e abstêmios totais, peregrinos piedosos e vagabundos ímpios; homens do templo e homens da taverna, acompanhados de bandos de bestas de carga — eis a horda multicolorida que invadia a quietude do Pico do Altar duas vezes por ano, no Dia da Vinha, no Outono, e no Dia da Arca, na Primavera.

Nenhum peregrino chegava à Arca, em qualquer dessas ocasiões, de mãos vazias; todos traziam presentes de uma ou outra espécie, variando as prendas de um cacho de uvas ou uma pinha, até um fio de pérolas ou colar de diamantes. Isso, além da taxa de dez por cento que era cobrada sobre as vendas de todos os mercadores.

Era costume, no dia da abertura das festividades, sentar-se o Superior em uma plataforma alta, posta debaixo de um grande caramanchão adornado com inúmeros cachos de uvas, dar as boas vindas e abençoar a multidão, então abençoar e receber os presentes dela e depois beber com ela a primeira taça da nova vindima. Ele costumava encher para si uma taça, despejando o vinho de uma cabaça de pescoço longo, e depois entregar a cabaça a um dos Companheiros para passá-la à multidão, enchendo-a cada vez que se esvaziava. Depois que todos haviam enchido suas taças, o Superior pedia-lhes que as levantassem bem alto e cantassem com ele o Hino à Vinha Sagrada, que dizem ter sido cantado pelo pai Noé e sua família, quando pela primeira vez provaram o sangue da Vinha. Tendo cantado o hino, a multidão esvaziava suas taças com gritos de alegria e dispersava-se para dedicar-se a seus vários negócios e prazeres.

E este é o Hino à Vinha Sagrada:

Salve a Vinha Sagrada!

Salve a raiz milagrosa
Que alimenta seu rebento tenro
E enche sua fruta dourada
Com o vinho vivificante.
Salve a Vinha Sagrada!

Órfãos do Dilúvio,
Encalhados na lama,
Provai e abençoai o sangue
Do ramo benigno.
Salve a Vinha Sagrada!

Vós, reféns do barro,
Vós, peregrinos que se extraviaram,
A Redenção e o Caminho
Estão na planta divina —
A Vinha, A Vinha, A Vinha!

Na manhã do dia anterior à abertura das festividades não foi possível encontrar o Mestre. Os Sete estavam indescritivelmente alarmados e, de imediato, organizaram uma busca muito rigorosa. Durante o dia todo e à noite, com tochas e lanternas, procuraram-no na Arca e nas vizinhanças, porém nem sinal do Mestre foi possível encontrar. Shamadam mostrava-se tão preocupado e parecia tão perturbado, que ninguém suspeitou de que estivesse envolvido no misterioso desaparecimento. Todos, porém, estavam convencidos de que o Mestre havia sido vítima de uma perversa cilada.

As grandes festividades prosseguiam, porém os Sete estavam mudos de tristeza e moviam-se para cá e para lá como sombras. A multidão havia cantado o hino e bebido vinho, e o Superior havia descido da alta plataforma quando se ouviu uma voz que se elevava muito acima da confusão e do ruído feito pela multidão: "Queremos ver Mirdad! Queremos ouvir Mirdad!"

Reconhecemos a voz de Rustidion, que havia espalhado para todos os lados tudo o que o Mestre havia dito e feito por ele. Dentro em pouco, seu grito principiou a ser repetido pela multidão, e o clamor pelo Mestre tornou-se geral e ensurdecedor, o que nos enchia os olhos de lágrimas e nos apertava a garganta como com um torno.

Subitamente, o tumulto amainou, e grande silêncio espalhou-se sobre a multidão; e quase não podíamos crer em nossos olhos quando olhamos e vimos o Mestre na alta plataforma, acenando com a mão para pedir silêncio.

CAPÍTULO XXVI

Mirdad fala do Dia da Vinha aos Peregrinos e liberta a Arca de alguns pesos mortos

MIRDAD: Contemplai Mirdad, a vinha cuja safra ainda não foi colhida, cujo sangue ainda não foi bebido.

Mirdad está pesado com sua safra, mas os ceifeiros, infelizmente, estão ocupados em outros vinhedos. E Mirdad está sufocando com sangue transbordante, mas os copeiros e os bebedores estão fortemente embriagados com outros vinhos.

Homens do arado, da picareta e da foice, eu abençoo vossos arados, picaretas e foices.

Que tendes arado, carpido e podado até hoje?

Tendes arado as desoladas terras baldias de vossa alma, tão recoberta de toda espécie de ervas daninhas que se tornou uma verdadeira selva onde bestas pavorosas e hediondos répteis prosperam e se multiplicam?

Tendes carpido as raízes nocivas que se enrolam no escuro e estrangulam vossas raízes, aniquilando vosso fruto ainda em botão?

Ou tendes podado aqueles ramos de vós próprios que estão carcomidos por vermes buliçosos ou ressecados pela investida de parasitas?

Tendes aprendido bem a arar, carpir e podar vossos vinhedos da terra; mas o vinhedo não terreno que sois vós jaz desgraçadamente abandonado e sem zelador.

Muito vãs serão todas as vossas labutas se não cuidardes do vinhateiro antes de cuidardes do vinhedo!

Homens de mãos calosas! Abençoo vossos calos.

Amigos do prumo e da régua; companheiros do malho e da bigorna; parceiros do cinzel e do serrote, como sois hábeis e competentes em todos os vossos ofícios preferidos!

Sabeis como encontrar o nível e a profundidade das coisas; mas vossa própria profundidade e nível não sabeis achar.

Com aptidão dais forma a um pedaço de ferro bruto com o malho e a bigorna; mas não sabeis dar forma ao homem bruto, usando o malho da Vontade na bigorna da Compreensão, nem aprendestes, da bigorna, a inestimável lição de como ser golpeado sem o menor pensamento de golpear de volta.

E sois engenhosos com o cinzel e o serrote, tanto na madeira como na pedra; mas o homem inculto e nodoso, vós não sabeis torná-lo hábil e polido.

Como são vãos todos os vossos artifícios se não os aplicais primeiro ao artífice!

Homens que traficam para lucrar com base nas necessidades dos homens pelos benefícios de sua Mãe-Terra e pelos produtos das mãos de seus semelhantes!

Abençoo as necessidades, os benefícios e os produtos, e também abençoo o comércio; mas o ganho em si, que é de fato uma perda, não encontra bênção em minha boca.

Quando, na fatídica calada da noite, fazeis o balanço do faturamento do dia, o que lançais como lucro, e o que lançais como perda? Lançais como lucro o dinheiro ganho acima e além do custo? Então, de fato, sem valor seria o dia que negociastes por uma soma de dinheiro, não importa quão grande, e perdidas foram para vós todas as infinitas riquezas desse dia em harmonia, paz e luz. Perdidos também seus incessantes chamados à Liberdade; e perdido o coração dos homens que ele segurou na palma das mãos como oferendas para vós.

Quando vosso maior interesse é a carteira dos homens, como podeis encontrar o caminho para seu coração? E se não encontrardes o caminho para o coração dos homens, como podeis esperar atingir o coração de Deus? E se não atingirdes o coração de Deus, que vida tereis?

E se o que considerais lucro é perda, que imensa perda é essa!

De fato, é vão todo o vosso negociar se os lucros não forem contabilizados em Amor e Compreensão.

Homens do cetro e da coroa!

É uma serpente o cetro na mão daquele que é muito rápido no ferir e muito vagaroso no aplicar os unguentos curativos; enquanto que, na mão que propicia o bálsamo do Amor, o cetro é um para-raios que previne o infortúnio e o julgamento.

Examinai bem vossas mãos.

Uma coroa de ouro, cravejada de diamante, rubi e safira, assenta muito incômoda, triste e pouco à vontade sobre uma cabeça inchada de vanglória, ignorância e desejo de poder sobre os homens. Sim, tal coroa, colocada assim sobre esse pedestal, não passa de um escárnio mordaz de seu próprio pedestal. No entanto, uma coroa das mais raras e extraordinárias gemas envergonhar-se-ia de seu próprio desmerecimento ao assentar sobre uma cabeça aureolada com a Compreensão e a vitória sobre o ego.

Examinai bem vossa cabeça.

Quereis reger os homens? Aprendei primeiro a reger vós mesmos.

Como podereis, entretanto, reger bem, se não regeis bem a vós mesmos? Pode uma onda espumejante e chicoteada pelo vento trazer paz e quietude ao Mar? Podem olhos lacrimosos projetar um sorriso venturoso em um coração que chora? Pode a mão trêmula de medo ou de raiva manter um navio com a quilha nivelada?

Os regentes dos homens são governados por homens, e os homens estão cheios de tumulto, anarquia e caos. Tal qual o mar, estão expostos a todos os ventos do céu. E, tal qual o mar, têm suas marés altas e baixas, parecendo, às vezes, que vão inundar o litoral. Tal qual o mar, porém, suas profundezas são calmas e imunes às chicotadas dos ventos na superfície.

Se quereis realmente governar os homens, mergulhai no mais fundo de suas profundezas, pois os homens são mais do que ondas espumejantes. Porém, para mergulhardes no mais fundo das profundezas dos homens, é preciso primeiro que mergulheis no mais fundo de vossas próprias profundezas. E para isso precisais depor o cetro e a coroa, para que as mãos estejam livres para sentir e a cabeça desembaraçada para pensar e avaliar.

Vão é todo o vosso governo, e ilegalidade são todas as vossas leis, e caos é toda a vossa ordem, a menos que aprendais a governar o homem intratável que há em vós, cujo passatempo predileto é brincar com cetros e coroas.

Homens do turíbulo e do Livro! Que queimais no turíbulo? Que ledes no Livro?

Queimais o sangue âmbar que exala do coração fragrante de certas plantas e coagula? Mas isso é comprado e vendido nos mercados públicos, e o que disso se compra por um tostão pode plenamente incomodar qualquer deus.

Pensais que o cheiro do incenso pode abafar o fedor do ódio, da inveja e da cobiça; dos olhos evasivos, das línguas prevaricadoras, das mãos lascivas; da descrença desfilando como fé, da mundanidade sórdida que toca a trombeta de um abençoado paraíso?

Mais agradável às narinas de vosso Deus seria o cheiro de todas essas coisas que, ao morrer de fome, fossem cremadas, uma a uma, no coração, e suas cinzas espalhadas aos quatro Ventos do céu.

Que é que queimais no turíbulo? Propiciações, apreço e súplicas?

Melhor deixar um deus iracundo rebentar-se com sua ira. Melhor deixar um deus faminto de apreço morrer de fome por apreço. Melhor deixar um deus de coração duro morrer da dureza de seu coração.

Mas Deus não é iracundo, nem faminto de apreços, nem duro de coração. Vós é que sois cheios de ira, e famintos de apreços, e duros de coração.

Deus não quer que queimeis incenso, mas que queimeis vossa ira, e vosso orgulho, e vossa falta de cordialidade, para que possais ser como Ele, livre e onipotente. Ele quer que vosso coração seja o turíbulo.

Que ledes vós no Livro?

Ledes os mandamentos para que sejam inscritos a ouro nas paredes e domos dos templos? Ou verdades vivas para que sejam gravadas no coração?

Ledes as doutrinas para que sejam ensinadas dos púlpitos e zelosamente defendidas com lógica, artifícios de linguagem e, se necessário for, com dinheiro e o gume da espada?

Ou ledes a Vida, que não é uma doutrina para que seja ensinada e defendida, mas uma Via a ser trilhada com a vontade de obter a Libertação, no templo e fora dele, de noite e de dia, tanto nos lugares baixos quanto nos altos? E a menos que estejais nessa Via e tenhais certeza de sua meta, como tereis a temeridade de convidar outros a trilhá-la?

Ou ledes cartas, mapas e listas de preços no Livro, mostrando aos homens quanto de céu pode-se comprar em troca de tanto ou quanto da terra?

Trapaceiros e agentes de Sodoma! Vós venderíeis o Céu aos homens e fixaríeis como preço o quinhão da Terra que eles possuem. Faríeis da Terra um inferno e urgiríeis os homens a escapar dela enquanto vos entrincheirais mais profundamente nela. Por que não os fazeis vender sua parte no Céu por uma parte na Terra?

Se houvésseis lido bem vosso Livro, mostraríeis aos homens como fazer da Terra um céu, pois para aquele que tem um coração celeste, a Terra é um céu, e para o homem que tem um coração terreno, o Céu é uma terra.

Descobri o Céu no coração dos homens, nivelando dentro dele as barreiras que há entre o Homem e seus semelhantes, entre o Homem e todas as criaturas, entre o Homem e Deus. Mas para isso teríeis de ter, vós mesmos, um coração celeste.

O Céu não é um jardim florido que se possa comprar ou alugar, mas é um estado de ser que se atinge na Terra e em qualquer lugar deste ilimitado Universo. Por que esticar o pescoço e forçar a vista para além?

Nem é o Inferno uma violenta fornalha da qual se deve escapar com muitas preces e queimando incenso, porém um estado do coração, experimentado tanto aqui na Terra como em qualquer outro ponto dessa imensidão desconhecida.

Para onde fugiríeis de um fogo cujo combustível é o coração, a não ser que fugísseis do coração?

É vã a procura do Céu, e vã a evasão do Inferno enquanto o Homem está retido por sua sombra, pois ambos, o Céu e o Inferno, são estados de ser inerentes à Dualidade. A menos que o Homem se torne simples de mente, de coração e de corpo, a menos que ele seja sem sombra e simples de Vontade, terá sempre um pé no Céu e outro no Inferno. E isso é, de fato, Inferno.

Sim, é mais do que Inferno ter asas de luz e pés de chumbo; ser mantido à tona pela esperança e arrastado para baixo pelo desespero; ser desenrodilhado pela fé impávida e enrodilhado pela dúvida cheia de pavor.

Um céu não será céu se para outros for inferno. E nenhum inferno será inferno se para outros for céu. E como o inferno de alguns é frequentemente o céu de outros, e o céu de alguns é muitas vezes o inferno de outros, então Céu e Inferno não constituem estados duradouros e conflitantes, mas sim estágios a serem atravessados na longa peregrinação para a Libertação de ambos.

Peregrinos da Vinha Sagrada!

Mirdad não tem céus para vender ou conceder àqueles que forem corretos. Nem infernos para servir de espantalho aos que forem maus.

A não ser que vossa retidão seja seu próprio céu, ela florescerá por um dia e depois murchará.

A não ser que vossa perversão seja seu próprio espantalho, ela dormirá por um dia e florescerá na primeira estação favorável.

Mirdad não tem céus nem infernos para oferecer-vos, mas oferece-vos a Sagrada Compreensão, que vos elevará muito acima do fogo de qualquer inferno e do luxo de qualquer céu. Não com as mãos, porém com o coração tereis de receber esse presente, pois para isso o coração tem de ser desonerado de qualquer desejo e vontade extraviados, salvo o desejo e a vontade de compreender.

Não sois estrangeiros na Terra, nem a Terra é para vós madrasta. Sois um verdadeiro coração do verdadeiro coração da Terra e uma verdadeira espinha dorsal de sua verdadeira espinha dorsal. Ela está feliz por carregar-vos sobre seu firme, amplo e constante dorso. Por que insistis em carregá-la sobre vossos franzinos e curvados peitos para depois gemer, arfar e ofegar por falta de ar?

Os úberes da Terra estão manando leite e mel. Por que deixais que ambos se azedem com vossa cobiça, tomando deles mais do que necessitais?

Serena e graciosa é a face da Terra. Por que a desfigurais e a enrugais com luta amarga e medo?

A Terra é uma perfeita unidade. Por que persistis em desmembrá-la com espadas e marcos de fronteiras?

Obediente e despreocupada é a Terra. Por que sois cheios de preocupação e de insubordinação?

No entanto, sois mais duradouros do que a Terra, o Sol e todas as esferas dos céus. Tudo isso passará, porém vós não. Por que tremeis como folhas ao vento?

Se nada mais pode fazer-vos sentir vossa unidade com o Universo, a Terra sozinha deveria fazê-lo. No entanto, a própria Terra é somente o espelho onde vossa sombra se reflete. É o espelho mais do que o espelhado? É a sombra projetada por um homem mais do que o homem?

Esfregai os olhos e despertai, pois sois mais do que terra. Vosso destino é mais do que viver e morrer e fornecer alimento abundante para as sempre famintas mandíbulas da Morte. Vosso destino é ser livre do viver e do morrer, do Céu e do Inferno e de todos os opostos guerreadores fundamentados na Dualidade. Vosso destino é serdes vinhas frutíferas nas eternas e frutíferas vinhas de Deus.

Como o ramo vivo de uma vinha viva, ao ser enterrado no solo, lança raízes e afinal se torna uma vinha independente que gera uvas como sua mãe, à qual continua ligada, assim será o Homem o ramo vivo da Vinha Divina quando for enterrado no solo de sua divindade, e se tornará um deus, que permanecerá eternamente uno com Deus.

Será o Homem enterrado vivo a fim de despertar para a Vida?

Sim, sem dúvida, sim. Se não fordes enterrados para a dualidade da vida e da morte, não podereis despertar para a unidade do Ser.

A menos que sejais alimentados com as uvas do Amor, não sereis saciados com o vinho da Compreensão.

E a menos que vos embriagueis com o vinho da Compreensão, não vos tornareis sóbrios pelo beijo da Liberdade.

Não é Amor que comeis quando comeis o fruto da vinha terrena. Comeis uma fome maior para aplacar uma fome menor.

Não é Compreensão que bebeis quando bebeis o sangue da vinha terrena. Bebeis um breve esquecimento da dor, o qual, quando consumido, dobra a pungência da dor. Fugis de um ego tedioso somente para tornar a encontrar esse ego ao virar a esquina.

As uvas que Mirdad vos oferece não estão expostas ao mofo e à putrefação. Ser saciado uma vez com elas é ser saciado para sempre. O vinho que ele destilou para vós é demasiado forte para os lábios que temem ser queimados, mas vivificante para o coração que deseja ser embriagado com autoesquecimento até a eternidade.

Há entre vós homens famintos por minhas uvas? Que venham para frente com suas cestas.

Há alguns sedentos de meu sangue? Que tragam sua taça.

Mirdad está pesado com sua safra e sufocando com sangue transbordante.

Um dia de autoesquecimento era o Dia da Vinha Sagrada, um dia inebriado com o vinho do Amor e banhado no brilho da Compreensão; um dia extático na batida rítmica das asas da Liberdade; um dia de nivelar barreiras e de fundir um em todos e todos em um. Mas, ai! Em que se tornou hoje esse dia?

Tornou-se em uma semana de mórbida autoafirmação, de ganância sórdida negociando com ganância sórdida, de escravidão divertindo-se com escravidão, e ignorância debochando de ignorância.

A própria Arca, antigamente uma destilaria de Fé, de Amor e de Liberdade, tornou-se agora gigantesca prensa de vinho e monstruoso centro de negócios. Ela recebe o produto de vossos vinhedos e vo-lo torna a vender como vinho estupefaciente. Do labor de vossas mãos ela forja as algemas para vossas mãos. O suor de vossa testa, ela o transforma em brasas vivas para marcar, a fogo, vossa testa.

Para longe, para muito longe do curso estabelecido desviou-se a Arca; mas agora seu leme está corrigido. Precisava ser liberada de todo o peso morto para que pudesse retomar seu curso com facilidade e segurança.

Em vista disso, todos os presentes serão devolvidos a seus doadores e todos os débitos serão remidos aos devedores. A

Arca não conhece doador a não ser Deus, e Deus não quer que ninguém deva, nem mesmo a Ele.

    Assim ensinei eu a Noé.

    Assim eu vos ensino.

CAPÍTULO XXVII

A Verdade deveria ser pregada a Todos ou somente aos Poucos Eleitos? Mirdad revela o Segredo de seu desaparecimento na véspera do Dia da Vinha e fala da Autoridade Forjada

Naronda: Muito tempo após a festa ter-se tornado uma lembrança, os Sete achavam-se reunidos em volta do Mestre no Ninho da Águia.

O Mestre estava silencioso enquanto os Companheiros reviam os memoráveis eventos daquele dia. Alguns maravilhavam-se da grande explosão de entusiasmo com que a multidão recebeu as palavras do Mestre. Outros comentavam o comportamento estranho e tão inescrutável de Shamadam no momento em que vintenas de notas promissórias foram retiradas da tesouraria da Arca e publicamente destruídas e centenas de jarras e barris de vinho retirados dos celeiros e dados de graça e muitos presentes valiosos devolvidos a seus doadores; pois ele não mostrou, de modo algum, nenhuma oposição, como todos nós esperávamos que fizesse, mas, sem palavras e imóvel, observava tudo aquilo enquanto vertia copiosas lágrimas.

Bennoon observou que, embora a multidão o aclamasse até ficar rouca, sua alegria não se devia às palavras do Mestre, mas devia-se aos débitos cancelados e aos dotes devolvidos.

Chegou mesmo a brandamente reprovar o Mestre por desperdiçar o fôlego com aquela multidão que nenhum prazer mais elevado buscava senão o de comer, beber e alegrar-se. A verdade, afirmou, não deveria ser pregada indiscriminadamente a todos, mas aos poucos eleitos. Então falou o Mestre e disse:

MIRDAD: Vosso alento levado pelo vento certamente se alojará em algum peito. Não pergunteis de quem é o peito. Cuidai apenas de que o próprio alento seja puro.

Vossa palavra procurará e encontrará certamente algum ouvido. Não pergunteis de quem é o ouvido. Cuidai somente de que a própria palavra seja uma autêntica mensageira da Liberdade.

Vosso pensamento silencioso certamente moverá alguma língua a falar. Não pergunteis de quem é a língua. Cuidai somente para que o próprio pensamento seja iluminado por amorosa Compreensão.

Não penseis que algum esforço seja em vão. Algumas sementes ficam enterradas no solo por muitos anos, mas rapidamente brotam quando estimuladas pelo alento da primeira estação favorável.

A semente da Verdade está em todos os homens e em todas as coisas. Vosso trabalho não é semear a Verdade, mas preparar a estação favorável para seu desabrochar.

Todas as coisas são possíveis na eternidade. Não percais a esperança, portanto, na liberdade de quem quer que seja, mas pregai a mensagem da libertação a todos, com a mesma fé e o mesmo zelo — tanto aos que não anseiam quanto aos que anseiam, pois os que não anseiam certamente virão a ansiar, e os que são implumes agora um dia limparão com os bicos suas penugens ao Sol e com suas asas fenderão os mais longínquos e inacessíveis limites do céu.

Micaster: Magoa-nos muito que até hoje, e apesar de nossas repetidas indagações, o Mestre não queira revelar-nos o segredo de seu misterioso desaparecimento na véspera do Dia da Vinha. Não valemos sua confiança?

MIRDAD: Quem quer que valha meu amor certamente vale minha confiança. É a confiança mais do que o Amor, Micaster? Não vos estou dando irrestritamente do meu coração?

Se não vos falei dessa circunstância desagradável, foi porque estava dando a Shamadam tempo para que se arrependesse, pois foi ele que, com o auxílio de dois estranhos, me levou, à força, naquela véspera, para fora deste Ninho da Águia e me atirou no Abismo Negro. Infeliz Shamadam! Jamais poderia sonhar que até o Abismo Negro receberia Mirdad com mãos de seda e lhe providenciaria escadas mágicas para o cume.

Naronda: Ao ouvir isso, todos nós ficamos estarrecidos e confusos, e ninguém ousava perguntar ao Mestre como havia saído incólume daquilo que a todos parecia uma perdição certa. Todos ficaram silenciosos por um espaço de tempo.

Himbal: Por que Shamadam persegue nosso Mestre, enquanto nosso Mestre ama Shamadam?

MIRDAD: Não é a mim que Shamadam persegue. Shamadam persegue Shamadam.

Investi os cegos com um semblante de autoridade, e eles arrancarão os olhos de todos os que veem, até mesmo os olhos daqueles que laboram duramente para fazê-los ver.

Deixai um escravo agir do seu jeito durante um só dia, e ele transformará o mundo em um mundo de escravos. Os primeiros a quem ele flagelará e agrilhoará serão os que trabalham incessantemente para libertá-lo.

Toda e qualquer autoridade terrena, não importa sua fonte, é forjada. Por isso ela tine as esporas, e brande a espada, e cavalga com espalhafatosa pompa e cerimônia reluzente, para que ninguém possa perceber seu coração falso. Ela monta seu trono instável sobre canhões e lanças. Ela decora sua alma, arrastada pela vaidade, com amuletos que inspiram medo e emblemas necromânticos, para que os olhos dos curiosos não possam ver sua deplorável pobreza.

Uma autoridade dessas é ao mesmo tempo um subterfúgio e uma maldição para o homem que urge exercê-la. Ela tenta manter-se a todo custo, mesmo ao pavoroso custo de destruir o próprio homem, tanto os que aceitam sua autoridade, como também os que a ela se opõem.

Devido a sua cobiça pela autoridade, os homens estão em constante tumulto. Os que exercem autoridade estão sempre lutando para mantê-la. Os que não a têm não cessam de lutar para agarrá-la das mãos dos que a possuem. Entrementes, o Homem, o Deus envolto em faixas, é esmagado sob pés e cascos e abandonado no campo de batalha, sem ser notado, atendido ou amado.

Tão furiosa é a luta e tão enlouquecidos pelo sangue estão os lutadores, que infelizmente ninguém para a fim de levantar a máscara pintada da face da noiva espúria e expor a todos sua monstruosa feiura.

Acreditai, ó monges, que nenhuma autoridade vale o tremular de um cílio a não ser a autoridade da Sagrada Compreensão, que não tem preço. Para isso, nenhum sacrifício é excessivo. Uma vez atingida, possuí-la-eis até o fim dos Tempos, e ela carregará vossas palavras com maior poder do que jamais poderão comandar todos os exércitos do mundo; e abençoará vossas ações com maior benevolência do que jamais poderiam sonhar em trazer ao mundo todas as autoridades terrenas combinadas.

Isso porque a Compreensão é o seu próprio escudo; seu poderoso braço é o Amor. Ela não persegue nem tiraniza, mas cai como o orvalho sobre o árido coração humano, e não abençoa menos os que a rejeitam do que os que dela bebem; pois demasiado segura de sua força interior, não recorre a nenhuma força exterior e, porque demasiado intrépida, esquiva-se do uso do medo como arma para impor-se a qualquer ser humano.

O mundo é pobre — ah, tão pobre — de Compreensão. E por isso tenta esconder sua pobreza com o véu da autoridade forjada; e a autoridade forjada molda uma aliança defensiva e ofensiva, usando o poder forjado, e os dois colocam o Medo no comando. E o Medo destrói ambos.

Não tem sempre acontecido que os fracos se unem para proteger sua fraqueza? Assim, a autoridade e a força bruta do mundo trabalham de mãos dadas, sob o chicote do Medo, e pagam sua taxa diária à Ignorância em guerras, sangue e lágrimas. E a Ignorância sorri benignamente para todos e diz: "Bem feito!"

"Bem feito!", disse Shamadam a Shamadam ao consignar Mirdad ao Abismo. Mal sabia Shamadam, porém, que, tendo-me atirado ao Abismo, havia atirado a si mesmo, e não a mim. Isso porque o Abismo não pode reter um Mirdad, enquanto um Shamadam tem de labutar duro e por muito tempo a fim de escalar seus muros escuros e escorregadios.

Uma bagatela é toda autoridade terrena. Deixai os que ainda são bebês na Compreensão divertir-se com ela, mas vós não deveis impor-vos a homem algum, pois aquilo que é imposto pela força mais cedo ou mais tarde será deposto pela força.

Não busqueis autoridade sobre a vida dos homens, pois dela, a Onivontade é mestra. Nem busqueis autoridade sobre os bens dos homens, pois os homens estão tão encadeados aos seus bens quanto às suas vidas, e odeiam os que se intrometem em suas cadeias e deles desconfiam. Procurai, porém, um caminho para o coração dos homens por intermédio do Amor e da Compreensão e, uma vez ali instalados, melhor podereis trabalhar para libertá-los de suas cadeias.

Porque o Amor guiará vossas mãos, enquanto a Compreensão segura a lanterna.

CAPÍTULO XXVIII

O Príncipe de Bethar
aparece com Shamadam no Ninho da Águia
O Colóquio entre o Príncipe
e Mirdad sobre Guerra e Paz
Mirdad é emboscado por Shamadam

Naronda: Assim que o Mestre acabara de falar isso, e dedicávamo-nos a ponderar sobre suas palavras, ouvimos pesados passos do lado de fora, acompanhados de uma conversa digressiva e abafada. Logo, dois soldados gigantescos, armados até os dentes, surgiram à entrada e tomaram posição, um de cada lado, com os sabres desembainhados e reluzindo ao sol. A seguir, chegou um jovem príncipe com toda a regalia, seguido timidamente por Shamadam e, atrás dele, mais dois soldados.

O príncipe era um dos mais poderosos e famosos potentados das Montanhas Alvas. Parou por um momento à entrada e observou cuidadosamente os semblantes da pequena companhia ali reunida. Depois, fixando seus grandes e brilhantes olhos no Mestre, inclinou-se muito e disse:

Príncipe: Salve, santo homem! Viemos prestar homenagem ao grande Mirdad, cuja fama viajou longe nestas montanhas até alcançar a nossa distante capital.

MIRDAD: A fama viaja em uma carruagem ígnea lá fora. Em casa ela coxeia com seu cajado. O Superior é minha testemunha disso. Não confieis, ó príncipe, nos caprichos da fama.

Príncipe: No entanto, doces são os caprichos da fama, e doce é gravar o próprio nome nos lábios dos homens.

Mirdad: É como gravar um nome nas areias da praia imprimi-lo nos lábios dos homens. Os ventos e as marés o lavarão das areias. Um espirro o soprará para fora dos lábios. Se não quiserdes ser espirrados fora pelos homens, não imprimais vosso nome em seus lábios, mas queimai-o em seu coração.

Príncipe: Fechado com muitos cadeados, porém, está o coração dos homens.

Mirdad: Os cadeados podem ser muitos, mas a chave é uma.

Príncipe: Tendes essa chave? Porque tenho pungente necessidade dela.

Mirdad: Vós também a tendes.

Príncipe: Ai de mim! Vós me avaliais por muitíssimo mais do que realmente valho. Há muito que procuro a chave para o coração de meu vizinho, porém em lugar algum a encontro. Ele é um poderoso príncipe e está inclinado a fazer-me guerra, e sou constrangido a levantar armas contra ele, apesar de minha tendência pacífica. Não vos deixeis iludir por meu diadema e minhas roupas adornadas com pedras preciosas, Mestre. Neles não encontro a chave que busco.

Mirdad: Eles escondem a chave, porém não a vigiam. Despistam vossos passos, travam vossas mãos e desviam vossos olhos, tornando, assim, vossa busca sem nenhuma valia.

Príncipe: Que quer o Mestre dizer com isso? Devo despojar-me de meu diadema e de minhas roupas para encontrar a chave do coração de meu vizinho?

Mirdad: Para conservar essas coisas, tereis de perder vosso vizinho. Para conservar o vizinho, tereis de perdê-las; e perder o vizinho é perder a si mesmo.

Príncipe: Não compraria, por esse preço exorbitante, a amizade de meu vizinho.

Mirdad: Não vos compraríeis por um preço tão insignificante?

Príncipe: Comprar-me a mim? Não sou prisioneiro para ter de pagar resgate e, além disso, tenho um exército bem pago e bem munido para proteger-me. Meu vizinho não pode gabar-se de ter um melhor.

Mirdad: Ser prisioneiro de um homem ou de alguma coisa, só isso já é prisão amarga demais de suportar. Ser prisioneiro de um exército de homens e de uma hoste de coisas é um banimento sem remissão. Depender de qualquer coisa é ser prisioneiro dela. Dependei, portanto, somente de Deus, porque ser prisioneiro de Deus é ser livre, de fato.

Príncipe: Devo, então, deixar a mim mesmo, meu trono e meus súditos desprotegidos?

Mirdad: Não deveis deixar a vós mesmo desprotegido.

Príncipe: Portanto devo manter um exército.

Mirdad: Por isso deveis demitir vosso exército.

Príncipe: Mas meu vizinho imediatamente invadiria meu reino.

Mirdad: Vosso reino ele poderia invadir, mas a vós, nenhum homem pode aniquilar. Duas prisões fundidas em uma não constituem um pequenino lar para a Liberdade. Rejubilai-vos se vos expulsarem de vossa prisão; não invejeis, porém, o homem que vier fechar-se dentro de vossa prisão.

Príncipe: Sou rebento de uma raça famosa por seu valor no campo de batalha. Jamais forçamos outros povos à guerra. Quando, porém, nos forçam a ela, jamais nos esquivamos e jamais abandonamos o campo, a não ser com nossas bandeiras voando alto sobre os corpos do inimigo. Vós me dais maus conselhos, Senhor, ao avisar-me que devo deixar meu vizinho fazer o que quer.

MIRDAD: Não dissestes que quereis paz?

Príncipe: Sim, gostaria de ter paz.

MIRDAD: Então, não luteis.

Príncipe: Mas meu vizinho insiste em lutar contra mim, e eu preciso lutar contra ele, para que a paz possa reinar entre nós.

MIRDAD: Quereis matar vosso vizinho para poderdes viver em paz com ele! Que estranho espetáculo! Não há mérito em viver em paz com os mortos. É, porém, grande virtude viver em paz com os vivos. Se tendes de declarar guerra contra qualquer homem vivo ou contra qualquer coisa, cujos gostos ou interesses podem colidir, às vezes, com os vossos, então declarai guerra contra Deus, que fez essas coisas existir. E declarai guerra contra o Universo, porque nele existem incontáveis coisas que vos desconcertam a mente, turbam-vos o coração e, queirais ou não, intrometem-se em vossa vida.

Príncipe: Que devo fazer quando desejo estar em paz com meu vizinho e ele quer lutar?

MIRDAD: Lutai!

Príncipe: Agora me aconselhais acertadamente.

MIRDAD: Sim, lutai! Não, porém, com vosso vizinho. Lutai com todas as coisas que vos levam, a vós e a vosso vizinho, à luta.

Por que deseja vosso vizinho lutar convosco? Será porque tendes os olhos azuis e ele, castanhos? Será porque vós sonhais com anjos e ele, com diabos? Ou será porque o amais como a vós mesmos e considerais tudo que é vosso como sendo dele?

São vossas roupas, ó príncipe, vosso trono, vossa riqueza, vossa glória e as coisas de que sois prisioneiro que fazem vosso vizinho querer lutar convosco.

Quereis vencê-lo sem levantar uma só lança contra ele? Então, abri a marcha e declarai vós mesmos guerra a todas essas coisas. Quando as tiverdes conquistado, libertando vossa alma de suas garras, quando as tiverdes lançado ao monte de lixo, talvez vosso vizinho suspenda sua marcha e embainhe sua espada e diga a si mesmo: "Se estas coisas valessem uma guerra, meu vizinho não as teria lançado ao lixo".

Se vosso vizinho perseverar em sua loucura e carregar para si o lixo, rejubilai-vos por vossa libertação de carga tão nociva e entristecei-vos da sorte de vosso vizinho.

Príncipe: Que dizeis de minha honra, que vale muito mais do que meus bens?

Mirdad: A única honra do Homem é ser Homem — imagem viva e semelhança de Deus. Todas as outras honras são desonras.

Uma honra conferida por homens é facilmente retirada por homens. Uma honra escrita com a espada é facilmente apagada pela espada. Nenhuma honra, ó príncipe, vale uma flecha enferrujada, menos ainda uma lágrima ardente, e menos ainda uma gota de sangue.

Príncipe: E a liberdade — minha liberdade e a de meu povo —, isso não vale o maior sacrifício?

Mirdad: A verdadeira Liberdade vale o sacrifício do ser. As armas de vosso vizinho não podem tomá-la; vossas próprias armas não podem ganhá-la nem defendê-la, e o campo de batalha é, para ela, uma tumba.

A verdadeira Liberdade é ganha ou perdida no coração.

Quereis a guerra? Então, engajai-vos nessa guerra dentro de vosso coração contra vosso próprio coração. Desarmai o coração de cada esperança e medo e desejo vão que tornam vosso mundo um chiqueiro sufocante, e achá-lo-eis mais amplo do que o Universo; vagueareis por esse Universo à vontade; e nada será para vós empecilho.

Essa é a única batalha que vale a pena travar. Engajai-vos numa guerra dessas e já não tereis tempo para quaisquer outras, que se tornariam, para vós, horrorosa bestialidade e armadilhas diabólicas que tencionam desviar-vos a mente e drenar-vos as forças e, assim, far-vos-iam perder a grande guerra contra vós mesmos, a qual é realmente uma guerra santa. Ganhar essa guerra é conquistar glória imorredoura, mas a vitória em qualquer outra guerra é pior do que a derrota total. É esse o horror de todas as guerras dos homens, em que tanto o vencedor como o vencido esposam a derrota.

Quereis a paz? Não a procureis em documentos verbosos; não tenteis gravá-la nem mesmo nas rochas.

Isso porque a pena que escreve "Paz" escreve com a mesma facilidade "Guerra"; e o cinzel que grava "tenhamos paz" pode, facilmente, gravar "tenhamos guerra". E, além disso, o papel e a rocha, a pena e o cinzel, logo são atacados pela traça, pela podridão, pela ferrugem e por toda a alquimia dos elementos mutáveis. Isso não acontece com o coração atemporal do Homem, que é a sede da Sagrada Compreensão.

Logo que a Compreensão é revelada, então está alcançada a vitória, e a Paz se estabelece no coração imediatamente e para sempre. Um coração compreensivo está sempre em paz, mesmo no meio de um mundo aturdido pela guerra.

Um coração ignorante é um coração dual. O coração dual forma um mundo dual. Um mundo dual gera luta e guerra constantes, ao passo que um coração compreensivo é um coração uno. Um coração uno faz um uno singular, e o mundo uno é um mundo em paz, pois são necessários dois para que haja guerra.

Eis por que vos aconselho a guerrear vosso coração a fim de o fazerdes uno. O prêmio da vitória é a Paz eterna.

Quando puderdes ver, ó Príncipe, em qualquer pedra um trono e encontrar em qualquer caverna um castelo, então o Sol se alegrará muito em ser vosso trono, e as constelações, vossos castelos.

Quando uma margarida qualquer for para vós a mais linda medalha e um verme qualquer, vosso professor, então as estrelas jubilarão por parar sobre vosso peito, e a Terra estará pronta para ser vosso púlpito.

Quando puderdes reger vosso coração, que vos importará quem nominalmente rege vosso corpo? Quando o Universo todo é vosso, que vos importa quem tem domínio sobre este ou aquele trato da Terra?

Príncipe: Vossas palavras são incitadoras, mas a mim me parece que a guerra é uma lei da Natureza. Não estão até os próprios peixes do mar em guerra constante? Não é o fraco presa do forte? E eu não quero ser presa de ninguém!

MIRDAD: O que vos parece guerra não é senão o modo de a Natureza alimentar-se e propagar-se. O forte torna-se alimento do fraco, tanto quanto o fraco torna-se alimento do forte. No entanto, quem é forte e quem é fraco na Natureza?

Só a Natureza é forte; tudo o mais é fraco e obedece à vontade da Natureza, fluindo mansamente nas correntezas da Morte.

Só o imortal pode ser classificado como forte. E o Homem é imortal, ó príncipe. Sim, mais poderoso do que a Natureza é o Homem. Ele consome o coração corpóreo da Natureza apenas para chegar ao seu próprio coração incorpóreo. Ele propaga-se somente para elevar-se além da autopropagação.

Deixai que os homens que querem ser justificados de seus desejos impuros pelos instintos puros das feras se denominem javalis, ou lobos, ou chacais, ou seja lá o que for, mas não permitais que rebaixem o nobre nome do Homem.

Crede em Mirdad, ó príncipe, e ficai em paz.

Príncipe: O Superior disse-me que Mirdad é bem versado nos mistérios da bruxaria; eu gostaria que manifestasse alguns poderes, para que eu pudesse crer nele.

MIRDAD: Se revelar Deus no Homem é bruxaria, então Mirdad é um bruxo. Quereis uma prova e uma manifestação da minha bruxaria?

Vede: eu sou a prova e a manifestação.

Ide avante. Fazei o trabalho que viestes executar aqui.

Príncipe: Adivinhastes bem que tenho outro trabalho a fazer que não o de entreter os ouvidos com vossas loucuras. O príncipe de Bethar é um bruxo de outra espécie e vai imediatamente fazer uma demonstração de sua arte.

(A seus homens) Trazei vossas correntes e agrilhoai as mãos e os pés deste Homem-Deus ou Deus-Homem, e mostraremos a ele e a seus companheiros de que espécie é nossa feitiçaria.

Naronda: Como animais de rapina, os quatro soldados caíram sobre o Mestre e, rapidamente, principiaram a agrilhoar-lhe as mãos e os pés. Por um momento os Sete ficaram sentados, paralisados, sem saber como encarar o que se passava diante deles — se era piada ou se era sério. Micayon e Zamora foram mais rápidos que os outros para entender a seriedade da ignóbil situação. Saltaram sobre os soldados como dois leões enfurecidos, e tê-los-iam derrubado se não fosse pela voz restritiva e tranquilizadora do Mestre.

Mirdad: Deixai-os exercer sua obra, impetuoso Micayon. Deixai-os seguir o caminho, bom Zamora. As correntes não são mais assustadoras a Mirdad do que foi o Abismo Negro. Deixai que Shamadam se regozije em emendar sua autoridade com a do príncipe de Bethar. A emenda despedaçará a ambos.

Micayon: Como podemos ficar à parte, quando nosso Mestre está sendo acorrentado como um criminoso?

Mirdad: Não fiqueis nem um pouco ansiosos por mim. Ficai em Paz. O mesmo farão a vós algum dia; mas isso prejudicará a eles, e não a vós.

Príncipe: Assim será feito a cada velhaco e charlatão que se atrever a escarnecer da autoridade e do direito estabelecidos.

Este santo homem (apontando para Shamadam) é o legítimo chefe desta comunidade, e sua palavra deve ser lei para todos. Esta Arca sagrada, de cujos benefícios desfrutais, está sob minha proteção. Meus olhos vigilantes supervisionam seu destino; meu braço poderoso está estendido por sobre seu teto e suas propriedades; minha espada cortará a mão que tocá-los com má intenção. Que todos o saibam e tenham cuidado.

(Novamente a seus homens) Levai para fora este patife. Sua perigosa doutrina já quase arruinou a Arca. Logo arruinará nosso reino e a terra, se deixarmos que siga seu pernicioso curso. Vamos fazer que doravante ele a pregue às sombrias paredes da masmorra de Bethar. Fora com ele.

Naronda: Os soldados levaram o Mestre para fora, seguido com jubiloso orgulho pelo príncipe e por Shamadam. Os Sete caminharam atrás dessa agourenta procissão, seguindo o Mestre com os olhos, os lábios grudados pela dor, o coração transbordante de lágrimas.

O Mestre caminhava com passo firme e seguro e com a cabeça bem levantada. Tendo-se distanciado um pouco, olhou para trás em nossa direção e disse:

MIRDAD: Ficai firmes em Mirdad. Não vos deixarei enquanto não lançar minha Arca e colocar-vos no comando.

Naronda: E por muito tempo depois essas suas palavras ainda soavam alto a nossos ouvidos, acompanhadas do pesado retinir das correntes.

CAPÍTULO XXIX

Shamadam, em vão, tenta reconquistar os Companheiros Mirdad retorna milagrosamente e dá a todos os Companheiros, exceto a Shamadam, o Beijo da Fé

Naronda: O inverno desceu sobre nós, abundante, branco e incisivo.

As montanhas, silenciosas e sem vento, estavam envoltas em neve. Só os vales, lá embaixo, mostravam algumas manchas verde-pálido, e aqui e ali havia uma faixa de prata líquida que meandrava em direção ao mar.

Os Sete eram esbofeteados alternadamente por ondas de esperança e de dúvida. Micayon, Micaster e Zamora inclinavam-se para a esperança de que o Mestre voltasse, conforme havia prometido. Bennoon, Himbal e Abimar agarravam-se à dúvida quanto a seu retorno. Todos, porém, sentiam terrível vazio e vexatória futilidade.

A Arca estava fria, triste e inóspita. Um silêncio gelado pairava em suas paredes, apesar dos esforços incansáveis de Shamadam para dar-lhe vida e calor. Desde que Mirdad fora levado, Shamadam procurava afogar-nos com sua gentileza. Ofereceu-nos a melhor refeição e o melhor vinho, mas a refeição não sustentava, e o vinho não animava. Queimava muita lenha e carvão, mas o fogo não aquecia. Mostrava-se muito gentil e aparentemente afetuoso, mas sua polidez e afeição afastavam-nos cada vez mais dele.

Durante muito tempo ele não fez menção ao Mestre. Afinal, abriu o coração e disse:

Shamadam: Vocês me julgam mal, meus companheiros, se pensam que não gosto de Mirdad. Ao contrário, dele me apiedo de todo o coração.

Pode até ser que Mirdad não seja um homem mau, mas é um visionário perigoso, e sua doutrina é completamente impraticável e falsa neste mundo de ações e fatos concretos. Ele e os que o seguem terão um fim trágico em seu primeiro encontro com a dura realidade. Disso estou deveras certo, e quero salvar meus companheiros de tal catástrofe.

Mirdad pode ter uma língua hábil, inspirada na leviandade da juventude; mas seu coração é cego, teimoso e não reverencia Deus, ao passo que eu reverencio o verdadeiro Deus em meu coração e tenho a experiência dos anos para dar a meu julgamento peso e autoridade.

Quem poderia ter manejado a Arca, durante tantos anos, melhor do que eu? Não tenho eu vivido convosco tanto tempo, sendo para vós tanto irmão como pai? Não têm sido abençoadas nossas mentes com a paz e nossas mãos com excessiva plenitude? Por que permitir que um estranho venha demolir aquilo que levamos tanto tempo para construir e semear a desconfiança onde a confiança era senhora e a luta onde a paz era rainha?

É completa loucura, meus companheiros, soltar o pássaro que se tem na mão por dez numa árvore. Mirdad queria fazer-vos deixar esta Arca, que por tanto tempo vos abrigou e conservou perto de Deus, dando-vos tudo que um mortal pode desejar e mantendo-vos a uma distância segura do tumulto e da angústia do mundo. Que vos prometia ele em troca? Dor no coração, desapontamentos e pobreza, com infindável luta, além do mais — isso e muitas coisas piores é o que vos prometia.

Prometia-vos uma Arca nos ares, na vastidão do nada — sonho de um louco — fantasia de criança — doce impossibilidade. É ele, por acaso, mais sábio do que o Pai Noé, o fundador da Arca-Mãe? Dói-me demasiado ver que dais qualquer atenção a seus delírios.

Posso ter pecado contra a Arca e suas sagradas tradições quando apelei, contra Mirdad, para o braço forte de meu amigo, o príncipe de Bethar, mas tinha no coração o vosso bem-estar; e só isso justificaria minha transgressão. Quis salvar-vos e salvar a Arca antes que fosse muito tarde. E Deus estava comigo, e eu vos salvei.

Jubilai comigo, companheiros, e agradecei ao Senhor por ter-nos poupado da grande ignomínia de ver, com nossos olhos pecaminosos, o desfazimento de nossa Arca. Eu, por mim, não conseguiria sobreviver a essa vergonha.

Agora, porém, dedico-me novamente ao serviço do Deus de Noé e de sua Arca, e ao vosso serviço, meus amados companheiros. Sede felizes como antigamente, para que minha felicidade seja completa em vós.

Naronda: Shamadam chorou ao pronunciar essas palavras, e suas lágrimas causavam piedade, porque demasiado solitárias, visto que não encontravam companhia em nenhum de nossos corações e olhos.

Certa manhã, quando o sol irradiou sobre as montanhas, após longo assédio de um tempo sombrio, Zamora apanhou sua harpa e pôs-se a cantar.

Zamora:
Congelada está a canção nos lábios feridos pelo frio
De minha harpa.
E aprisionado pelo gelo está o sonho no coração
  aprisionado pelo gelo
De minha harpa.

Onde está o alento que degelará tua canção,
Ó minha harpa?
Onde está a mão que resgatará o sonho,
Ó minha harpa?
Na masmorra de Bethar.

Vento mendicante, vai e suplica para mim
Uma canção das correntes
Na masmorra de Bethar.

Furtivos raios de Sol, ide e arrebatai para mim
Um sonho das correntes
Na masmorra de Bethar.

Estendidas por toda a amplidão do céu
Estavam as asas de minha águia
E debaixo delas eu era rei.
Agora, sou apenas
Uma criança abandonada e um órfão,
E uma coruja rege meu céu,
Porque minha águia voou para um ninho distante
Para a masmorra de Bethar.

Naronda: Uma lágrima escorreu do olho de Zamora, e suas mãos caíram flácidas. Sua cabeça pendeu sobre a harpa. Essa lágrima deu vazão a nossa tristeza represada e abriu as comportas de nossos olhos.

Micayon pôs-se de pé de um salto e, gritando com voz forte "Estou sufocando!", precipitou-se em direção à porta e saiu ao ar livre. Zamora, Micaster e eu o seguimos através do átrio e até o portão no grande recinto exterior, além do qual não era permitido aos companheiros se aventurarem. Micayon arrancou o pesado ferrolho com um único poderoso puxão, abriu o portão de par em par e arrojou-se para fora como um tigre de sua jaula. Os outros três seguiram Micayon.

O sol estava cálido e brilhante, e seus raios, refratados pela neve gelada, quase cegavam. Colinas desprovidas de árvores e cobertas de neve ondulavam diante de nós até onde a vista podia alcançar, e todas pareciam abrasadas com fantásticos matizes de luz. Em toda a volta era uma imobilidade tão plena que incomodava os ouvidos; só o crepitar da neve sob os pés quebrava o encantamento. O ar, embora gélido, de tal modo nos acariciava os pulmões, que nos sentíamos impelidos para frente sem esforço de nossa parte.

Até mesmo o humor de Micayon mudou, e ele parou para exclamar: "Como é bom poder respirar. Ah, somente respirar!" E verdadeiramente parecia que pela primeira vez sentíamos o gozo de respirar livremente e sentíamos o significado da Respiração.

Havíamos andado um pequeno trecho, quando Micaster divisou um objeto escuro em uma elevação longínqua. Alguns pensaram ser um lobo solitário; outros, uma rocha limpa da neve pelo vento. Mas o objeto parecia mover-se em nossa direção e decidimos rumar a seu encontro. Cada vez mais ele se aproximava e cada vez mais assumia uma aparência humana. Subitamente, Micayon deu um grande salto para frente, ao mesmo tempo em que gritava: "É ele! É ele!"

E era ele — seu andar gracioso, seu porte imponente, sua nobre cabeça levantada. O vento alegre brincava de esconde-esconde em suas vestes fluidas e despreocupadamente flertava com suas longas mechas negras. O sol havia tingido levemente o rosto moreno-âmbar, mas os olhos escuros e sonhadores cintilavam como sempre, e enviavam ondas de serenidade confiante e amor triunfante. Os pés delicados, amarrados com correias às sandálias de madeira, eram beijados pela geada, que os deixava brilhantemente rosados.

Micayon foi o primeiro a alcançá-lo; e atirou-se a seus pés, soluçando e rindo, e murmurando como alguém em delírio: "Agora minha alma me foi restituída".

Os outros três fizeram o mesmo; mas o Mestre ergueu-os um a um, abraçando-os com infinita ternura, ao mesmo tempo em que dizia:

MIRDAD: Recebei o Beijo da Fé. De hoje em diante, vós dormireis na crença e despertareis na crença; e a Dúvida já não se aninhará em vosso travesseiro, nem paralisará vosso passo com hesitação.

Naronda: Os quatro que haviam permanecido na Arca, ao contemplarem o Mestre à porta, julgaram-no, a princípio, uma aparição e ficaram muito assustados. Quando, porém, ele os saudou, cada um pelo nome, e ouviram sua voz, precipitaram-se a seus pés, exceto Shamadam, que ficou grudado à sua cadeira. O Mestre agiu e falou com os três conforme havia agido e falado com os quatro.

Shamadam, com o olhar vazio, tremia da cabeça aos pés. Sua face ficou mortalmente pálida, os lábios contorciam-se, e as mãos apalpavam desordenadamente na cinta. Subitamente, escorregou da cadeira e, rastejando, chegou ao lugar em que o Mestre se encontrava de pé, passou os braços em volta dos pés de Mirdad e disse, convulsivamente, com a face voltada para o solo: "Também eu creio". O Mestre também o levantou, mas sem beijá-lo disse:

Mirdad: É o Medo que faz tremer a poderosa compleição de Shamadam e a língua dizer: "Também eu creio".

Shamadam treme e curva-se diante da "bruxaria" que tirou Mirdad do Abismo Negro e da masmorra de Bethar. E Shamadam teme retaliação. Que sua mente se acalme, quanto a isso, e que volte o coração na direção da Verdadeira Fé.

Uma fé que nasce de uma onda de Medo é somente a espuma do Medo; levanta-se e decanta com o Medo. A Verdadeira Fé não floresce a não ser no talo do Amor. Seu fruto é a Compreensão. Se tens medo de Deus, não crês em Deus.

Shamadam: (Afastando-se, com os olhos sempre voltados para o chão) Shamadam é um miserável e um marginal em sua própria casa. Permiti que eu, pelo menos, seja vosso servo por um dia e vos traga um pouco de carne e alguma roupa quente. Deveis estar com muita fome e frio.

Mirdad: Tenho carne que as cozinhas ignoram e calor que não é emprestado do fio de lã ou da língua de fogo. Bom seria que Shamadam armazenasse mais de minha carne e de meu calor, e menos de outros víveres e combustíveis.

Vede! O mar veio hibernar nos picos, e os picos estão alegres por vestirem o mar gelado como um manto. E os picos estão aquecidos em seu manto.

Também o mar está alegre por deitar-se por um espaço de tempo tão quieto e tão encantado nos picos; mas somente por um espaço de tempo, pois a Primavera chegará, e o Mar, como uma serpente que hiberna, desenrolar-se-á e reclamará sua liberdade temporariamente hipotecada. Novamente correrá de costa a costa e novamente subirá aos ares e vagará pelo céu e aspergirá onde aprouver-lhe.

Mas há homens como tu, Shamadam, cuja vida é um inverno constante e uma hibernação ininterrupta. São aqueles que ainda não receberam os augúrios da Primavera. Vê! Mirdad é aquele que é o augúrio. Um augúrio de Vida é Mirdad, e não um dobre fúnebre. Quanto tempo mais ficarás hibernando?

Crê, Shamadam, que a vida que os homens vivem e a morte que morrem é apenas uma hibernação. Eu venho para despertar os homens de seu sono e chamá-los de suas covas e de suas tocas para a liberdade da Vida imorredoura. Crê, para teu bem, e não para o meu.

Naronda: Shamadam permaneceu imóvel e não abriu a boca. Bennoon sussurrou-me que perguntasse ao Mestre como conseguira escapar da masmorra de Bethar; mas a língua não me obedecia para fazer a pergunta que, não obstante, foi logo adivinhada pelo Mestre.

Mirdad: A masmorra de Bethar já não é uma masmorra; tornou-se um santuário. O príncipe de Bethar já não é um príncipe. Ele é, hoje, um peregrino anelante como vós.

Mesmo uma masmorra sombria, Bennoon, pode ser transformada em um estonteante farol. Mesmo um altivo príncipe pode ser convencido a depor sua coroa diante da coroa da Verdade. E até as rosnantes correntes podem ser induzidas a produzir música celeste. Nada é milagre para a Sagrada Compreensão, que é o único milagre.

Naronda: As palavras do Mestre concernentes à abdicação do príncipe de Bethar caíram como um raio sobre Shamadam; e, para nossa consternação, ele foi subitamente tomado por um espasmo tão estranho e tão violento que tememos seriamente por sua vida. O espasmo terminou com um desmaio, e ele nos deu muito trabalho antes que tivéssemos finalmente conseguido fazê-lo voltar a si.

CAPÍTULO XXX

O Sonho de Micayon revelado pelo Mestre

Naronda: Durante um longo período, antes e depois de o Mestre voltar de Bethar, observamos que Micayon se comportava como alguém perturbado. Conservava-se distante a maior parte do tempo, falando pouco, comendo pouco e raramente deixando a cela. Não confiava nem a mim seu segredo. Todos nós nos admirávamos de que o Mestre nada dissesse e nada fizesse para suavizar-lhe a dor, conquanto o amasse muito.

Certa vez, enquanto Micayon e os outros estavam se aquecendo ao braseiro, o Mestre começou a discursar sobre a Grande Nostalgia.

MIRDAD: Certo homem uma vez teve um sonho. Eis como foi seu sonho:

Ele se viu sobre a verde margem de um largo e profundo rio, cujas águas fluíam silenciosamente. A margem estava animada com uma grande multidão de homens, mulheres e crianças de todas as idades e línguas; todos tinham rodas de vários tamanhos e tonalidades que rolavam para cima e para baixo, pela margem. As multidões estavam vestidas de cores festivas e ali estavam para divertir-se e festejar. Sua algazarra enchia o ar. Como se fosse um mar irrequieto, elas deslocavam-se para cima e para baixo, para frente e para trás.

Somente ele não estava vestido para a festa, pois nada sabia de festa alguma. Só ele não tinha roda alguma para rolar e, por mais que apurasse os ouvidos, não conseguia captar uma só palavra do que dizia a multidão poliglota que fosse semelhante a seu próprio dialeto. Por mais que esforçasse a vista, não conseguia encontrar um único rosto que lhe fosse familiar. Além disso, a multidão, à medida que surgia ao seu redor, lançava-lhe olhares significativos, como se dissesse: "Quem é esse ser cômico?" Então, ele começou a compreender que a festa não era dele e que ele era um total estrangeiro, e sentiu uma pontada no coração.

Logo ele ouviu um grande rugido que vinha da extremidade superior da margem, e imediatamente viu a multidão ajoelhar-se, cobrir os olhos com as mãos e curvar a cabeça até o chão, dividindo-se, ao cair, em duas alas e deixando um vão entre elas, um eixo reto e estreito ao longo do comprimento do rio. Só ele permaneceu de pé, no meio dessa passagem, sem saber o que fazer, nem para que lado voltar-se.

Quando olhou para ver de onde vinha o rugido, divisou um enorme touro que, cuspindo línguas de fogo pela boca e soprando colunas de fumaça pelas narinas, precipitou-se pela passagem com a velocidade de um raio. Aterrorizado, olhou para a besta enfurecida e procurou escapar pela direita e pela esquerda, porém sem consegui-lo. Sentia-se transfixado ao solo e estava certo de sua perdição.

Justamente no momento em que o touro chegava tão perto que ele já sentia o fogo escorchante e a fumaça, o homem foi alçado ao ar. O touro permaneceu por baixo dele, atirando para cima mais fogo e fumaça; mas o homem elevava-se cada vez mais e, embora sentisse o fogo e a fumaça, mesmo assim começou a confiar que o touro já não lhe podia fazer mal algum. E tomou seu curso através do rio.

Olhando para a verde margem viu a multidão ainda ajoelhada como antes, e o touro atirando-lhe flechas em vez de fogo e fumaça. Ouviu o sibilar das flechas que passavam debaixo dele; algumas furaram-lhe as vestes, mas nenhuma delas lhe tocou a carne. Finalmente o touro, a multidão e o rio perderam-se de vista, e o homem continuou voando.

Ele voou por sobre uma terra desolada e escorchada pelo sol, na qual não havia nenhum traço de vida. Afinal, pousou no sopé de uma alta e rugosa montanha deserta, sem uma folha de grama, sem uma lagartixa ou formiga, e sentiu como se sua única vereda fosse montanha acima.

Por muito tempo procurou um caminho seguro para subir, mas tudo o que encontrou foi uma trilha que mal se podia traçar e que somente cabras poderiam percorrer. Decidiu seguir essa trilha.

Mal tinha subido poucas centenas de pés, viu, não longe, à esquerda, um leito de estrada largo e plano. Tão logo parou e se dispôs a abandonar a trilha, o leito transformou-se em um rio humano; metade dele ascendia laboriosamente, e metade precipitava-se de ponta-cabeça montanha abaixo. Um número incontável de homens e mulheres lutava para subir e rolava para baixo às cambalhotas e, enquanto rolava, emitia gemidos e gritos que aterrorizavam o coração.

O homem observou por algum tempo aquele fenômeno fatídico e decidiu em sua mente que, em algum ponto em cima daquela montanha, existia uma enorme casa de desvairados, e os que vinham rolando eram alguns dos que haviam escapado. Continuou pela trilha volúvel, caindo aqui e levantando-se ali, mas sempre evoluindo rumo ao alto.

A certa altura, o rio humano secou, e seu leito se desfez inteiramente. Mais uma vez o homem se encontrava só com a montanha sombria, e não havia mão alguma para indicar-lhe o caminho ou voz alguma que lhe alentasse a coragem minguante, ou que lhe reanimasse as forças enfraquecidas, a não ser uma vaga convicção de que seu curso apontava para o cume.

Sem interrupção, arrastava-se, traçando seu caminho com seu sangue. Depois de muita labuta de dilacerar a alma, chegou a um ponto em que a terra era macia e sem pedras. Para sua indescritível alegria, viu alguns delicados tufos de grama germinando aqui e ali; e a grama era tão tenra, e o solo tão aveludado, e o ar tão aromático e tão repousante, que sentiu como se lhe houvessem roubado a última gota de energia. Então relaxou e adormeceu.

Foi despertado por uma mão que tocava a sua mão e uma voz que lhe dizia: "Levanta-te! O cume está à vista. E a Primavera te aguarda lá no cume".

A mão e a voz eram de uma donzela extremamente bela — um ser paradisíaco — que vestia uma roupa de ofuscante brancura. Gentilmente ela tomou o homem pela mão, e ele levantou-se revigorado e refrescado. E o homem de fato entreviu o cume e realmente sentiu o aroma da Primavera. Mal, porém, ergueu o pé para dar o primeiro passo, despertou do sonho.

Que faria Micayon se despertasse de um sonho como esse e se encontrasse esticado em uma cama comum, encerrado entre quatro paredes comuns, porém com a visão da donzela ainda brilhando por trás das pálpebras, e o fulgor fragrante daquele cume ainda fresco no coração?

Micayon: (Como se tivesse levado uma estocada) Mas esse sonhador sou eu, e meu esse sonho, inclusive a visão da virgem e do cume. Isso me assombra até hoje, não me dá repouso e me fez um estranho a mim mesmo. Por causa disso, Micayon já não conhece Micayon.

No entanto, tive esse sonho logo depois que fostes levado para Bethar. Como podeis vir relatá-lo com todos os seus diminutos detalhes? Que espécie de homem sois, que até os sonhos dos homens são, para vós, um livro aberto?

Ah, a liberdade daquele cume! Ah, a beleza daquela donzela! Como tudo é trivial em comparação! Minha própria alma desertou-me por causa deles, e somente no dia em que vos vi, voltando de Bethar, é que minha alma se juntou novamente a mim e me senti calmo e forte. Mas essa sensação abandonou-me desde então, e novamente sou afastado de mim mesmo por fios invisíveis.

Salvai-me, ó meu Grande Companheiro. Eu me consumo por causa de uma visão.

Mirdad: Não sabes o que pedes, Micayon. Queres ser salvo de teu salvador?

Micayon: Em um mundo onde todos se sentem tão à vontade no próprio lar, gostaria de ser poupado dessa insuportável tortura de sentir-me tão sem lar. Gostaria de estar no cume com a donzela.

Mirdad: Regozija-te, porque teu coração foi capturado pela Grande Nostalgia, pois essa é uma promessa irrevogável de que encontrarás teu país e tua casa, e que estarás no cume com a donzela.

Abimar: Rogo-te contar-nos mais sobre essa Nostalgia. Quais são os sintomas pelos quais podemos reconhecê-la?

CAPÍTULO XXXI

A Grande Nostalgia

MIRDAD: É como a neblina a Grande Nostalgia. Emitida pelo coração, ela fecha o coração, assim como a neblina efundida pelo mar e pela terra oblitera tanto a terra quanto o mar.

E da mesma forma que a neblina rouba dos olhos a realidade visível, tornando-se ela própria a única realidade, assim essa Nostalgia domina os sentimentos do coração e faz de si mesma o sentimento culminante. Embora aparentemente tão amorfa, tão sem propósito e tão cega como a neblina, ela, assim como a neblina, fervilha de formas não nascidas, tem visão clara e propósito bem definido.

É também como a febre a Grande Nostalgia. Como a febre, inflamada no corpo, mina a vitalidade deste enquanto queima seus venenos, assim é essa Nostalgia; nascida da fricção no coração, debilita-o enquanto consome suas escórias e toda superfluidade.

E como um ladrão é a Grande Nostalgia. Como um ladrão sub-reptício alivia sua vítima de uma carga, porém deixa-a dolorosamente amargurada, assim essa Nostalgia alivia em segredo todas as cargas do coração, porém deixa-o mais desconsolado e carregado justamente pela própria falta de carga.

Larga é a margem, e verde, onde homens e mulheres dançam, cantam, labutam e choram continuamente seus dias evanescentes. Aterrorizante, porém, é o Touro-que-eructa--fogo-e-fumaça e que lhes ata os pés e os faz cair de joelhos; que estufa as canções de volta às cordas vocais e lhes gruda as pálpebras inchadas com as próprias lágrimas.

Largo e profundo também é o rio que os separa da outra margem. E não podem nem atravessá-lo a nado, nem remar de uma margem à outra, nem atravessá-lo em um barco a vela. Poucos — muito poucos — aventuram-se a abarcá-lo com um pensamento. Porém, todos — quase todos — estão ansiosos por aderir à margem onde cada um deles continua a fazer rodar sua roda do tempo de estimação.

O homem que tem a Grande Nostalgia não possui nenhuma roda de estimação para rodar. No meio de um mundo tão tensamente ocupado e pressionado pelo tempo, só ele não tem ocupação nem pressa. Em meio a uma humanidade tão decorosa no vestir, no falar e no comportar-se, ele se acha nu, gagueja e é desajeitado. Não pode rir com os que riem, nem chorar com os que choram: os homens comem e bebem e sentem prazer no comer e no beber; ele come sem regalo, e a bebida lhe é insípida na boca.

Outros acasalam-se ou estão ocupados procurando parceiros; ele anda sozinho, dorme sozinho e sonha seus sonhos sozinho. Outros são ricos em sagacidade e sabedoria terrenas; só ele é tolo e ignorante. Outros têm cantos aconchegantes a que chamam de lar; só ele é sem lar. Outros têm certos pontos da terra aos quais chamam de terra natal e cuja glória cantam bem alto; só ele não tem nenhum ponto a ser cantado e chamado de terra natal. Porque o olho de seu coração está virado para a outra margem.

É um sonâmbulo, o homem que tem a Grande Nostalgia, no meio de um mundo aparentemente tão desperto. É movido por um sonho que os outros a seu redor não veem nem sentem; por isso eles encolhem os ombros e riem nervosamente às escondidas. Quando, porém, o deus do medo — o Touro-que-eructa-fogo-e-fumaça — aparece em cena, então eles são obrigados a morder o pó, enquanto o sonâmbulo para quem encolheram os ombros e de quem riram nervosamente às escondidas é elevado pelas asas da Fé acima deles e de seu touro, e é carregado longe para a outra margem e para o sopé da Montanha Escarpada.

Estéril, desprotegida e perdida é a terra sobre a qual o sonâmbulo voa, mas as asas da Fé são fortes, e o homem continua voando.

Sombria, e calva, e terrificante é a montanha ao sopé da qual ele desce. Mas o coração da Fé é indômito, e o coração do homem continua batendo com coragem.

Rochosa e escorregadia e quase indiscernível é sua trilha montanha acima, mas sedosa é a mão, firme o pé e perspicaz o olhar da Fé, e o homem continua subindo.

Ele encontra pelo caminho homens e mulheres que laboriosamente sobem a montanha por um leito de estrada largo e plano. Eles são os homens e mulheres da Pequena Nostalgia, que anseiam por atingir o cume, porém com um guia que claudica e não vê. Porque seu guia é sua fé no que o olho pode ver e no que o ouvido pode ouvir, no que a mão pode sentir e no que o nariz e a boca podem cheirar e provar. Alguns deles não vão além dos tornozelos da montanha; alguns alcançam os joelhos, e alguns os quadris; muito poucos a cintura.

Todos eles, porém, escorregam de volta com seu guia, e vêm montanha abaixo, às cambalhotas, sem terem olhado nem de relance para o alvo cume.

    Pode o olho ver tudo o que há para ser visto e o ouvido ouvir tudo o que existe para ser ouvido? Pode a mão sentir tudo o que há para ser sentido, e o nariz cheirar tudo o que há para ser cheirado? Ou pode a língua provar tudo o que há para ser provado? Somente quando a Fé, nascida da Imaginação divina, vem em seu auxílio, podem os sentidos realmente sentir e, desse modo, tornar-se escadas para o cume.

    Os sentidos sem Fé são os guias mais imponderáveis. Embora sua estrada pareça plana e larga, está cheia de armadilhas e alçapões, e os que a tomam para alcançar o cume da Libertação ou perecem no caminho, ou escorregam e caem às cambalhotas de volta à base de onde partiram, onde acalentam muitos ossos quebrados e suturam muitos ferimentos abertos.

    Os homens da Pequena Nostalgia são aqueles que, tendo construído um mundo com seus sentidos, logo o acham pequeno e enfadonho, então aspiram a um lar maior e mais arejado, mas, ao invés de procurar novos materiais e um novo mestre-construtor, rearrumam o antigo material e chamam o mesmo arquiteto — os sentidos — para desenhar e construir-lhes um lar mais amplo. E mal o novo lar está construído, acham-no tão pequeno e enfadonho quanto o antigo. Assim, vão demolindo e construindo, sem jamais conseguir construir o lar que lhes dá o conforto e a liberdade pelos quais anseiam. Porque confiam nos enganadores, para que os livrem dos enganos. E como o peixe que salta da frigideira para o fogo, fogem de uma pequena miragem para serem atraídos por outra maior.

    Entre os homens da Grande Nostalgia e os da Pequena Nostalgia existem os grandes rebanhos de homens-coelhos que não sentem nostalgia alguma. Estão contentes em cavar seus buracos, neles viver, reproduzir-se e morrer; e acham seus buracos bastante elegantes, espaçosos e cálidos, e não os trocariam pelos esplendores de um palácio real. E zombam de todos os sonâmbulos, especialmente dos que caminham por uma trilha solitária, onde as pegadas são raras e difíceis de ser rastreadas.

Muito semelhante à águia chocada pela galinha de quintal e confinada junto com a ninhada é o homem que tem a Grande Nostalgia, entre seus semelhantes. Seus irmãos-pintinhos e sua mãe-galinha desejariam que a jovem águia fosse um deles, de posse de sua natureza e seus hábitos, e vivesse como eles vivem; e ela gostaria de que eles fossem como ela: sonhadores de um ar mais livre e céus ilimitados. Logo, porém, ela se acha um estranho e um pária entre eles, e é bicada por todos — até mesmo pela mãe. Mas o chamado dos cumes lhe fala alto no sangue, e o fedor do galinheiro torna-se exasperador para seu nariz. No entanto, sofre tudo aquilo em silêncio, até que fique completamente emplumada. Então, monta ao ar, e lança um amoroso olhar de despedida sobre os antigos irmãos e a mãe, que alegremente continuam cacarejando, enquanto ciscam na terra por mais sementes e vermes.

Regozija-te, Micayon. Teu sonho é um sonho de profeta. A Grande Nostalgia fez teu mundo pequeno demais e fez-te um estranho neste mundo. Ele libertou tua imaginação da garra dos despóticos sentidos, e a imaginação trouxe-te a Fé.

E a Fé levantar-te-á muito acima deste mundo estagnado e sufocante, e te carregará através do triste vazio e acima da Montanha Escarpada, onde toda fé terá de ser testada e purificada dos últimos traços de Dúvida.

A Fé assim purificada e triunfante guiar-te-á às fronteiras do eternamente verde Cume, e ali liberar-te-á nas mãos da Compreensão. Tendo descarregado sua tarefa, a Fé se retirará, e a Compreensão te guiará os passos à inefável Liberdade do Cume, que é o verdadeiro, ilimitado e oniabarcante lar de Deus e do Homem Vitorioso.

Suporta bem o teste, Micayon. Suportai-o bem, todos vós. Para permanecer por apenas um momento nesse Cume compensa suportar toda espécie de dor. Mas viver para sempre nesse Cume vale a Eternidade.

Himbal: Não nos elevarás agora a teu cume, mesmo por um relance, por mais breve que seja?

Mirdad: Não sejas apressado, Himbal, e aguarda teu tempo. Onde eu respiro livremente, tu anelarias por ar. Onde eu caminho com leveza, tu ficarias ofegante e tropeçarias. Agarra-te à Fé; a Fé realizará o feito gigantesco.

Assim ensinei eu a Noé.

Assim eu vos ensino.

CAPÍTULO XXXII

Do Pecado e o desvencilhar-se dos Aventais de Folha de Figueira

MIRDAD: Já ouvistes falar do Pecado, e agora deveis saber como o Homem se tornou pecador.

E declarais — não sem mérito — que se o Homem, imagem e semelhança de Deus, é pecador, então Deus mesmo deve ser a origem do Pecado. Existe aí uma armadilha para o desavisado, e eu não gostaria, companheiros, que ficásseis presos na armadilha. Por isso vou retirá-la de vosso caminho, para que possais também retirá-la do caminho dos homens.

Não há pecado em Deus, a não ser que consideremos pecado dar o Sol algo de sua luz a uma vela. Nem há pecado no Homem, a não ser que consideremos pecado queimar-se uma vela inteiramente no Sol e assim juntar-se ao Sol.

Há, porém, pecado na vela que se recusa a irradiar sua luz e, quando se aplica o fósforo a seu pavio, amaldiçoa o fósforo e a mão que o aplica. Há pecado na vela que tem *vergonha* de queimar no Sol e, por isso, oculta-se do Sol.

O Homem não pecou por desobedecer a Lei, mas por encobrir sua ignorância da Lei.

Sim, há pecado no avental de folha de figueira.

Não lestes a história da *queda* do Homem, tão frugal e ingênua nas palavras, porém tão sublime e sutil em significado? Não lestes como o Homem, recém-saído do peito de Deus, era como um deus infante — passivo, inerte, não criador? Porque, embora dotado de todos os atributos da divindade, era, como todos os bebês, incapaz de conhecer e muito menos de exercitar suas infinitas capacidades e talentos.

Como uma semente solitária encerrada em belíssimo frasco achava-se o Homem no jardim do Éden. A semente num frasco permanecerá semente, e jamais as maravilhas nela seladas dentro de sua pele serão atiçadas para a vida e para a luz, a não ser que seja escondida em um solo congênere a sua natureza e que a pele seja rompida.

O Homem, porém, não possuía solo algum que fosse de sua natureza, onde pudesse plantar-se e brotar.

Sua face não era em nenhum lugar refletida em uma face semelhante. Seu ouvido era um ouvido humano que não ouvia voz humana. Sua voz era uma voz humana que não ecoava de volta de nenhuma garganta humana. Seu coração era um coração que batia em solitário uníssono.

Só — tão absolutamente só — se encontrava o Homem em meio a um mundo bem emparelhado e lançado em seu curso. Era um estranho para si mesmo; não tinha trabalho que lhe fosse próprio nem curso estabelecido a seguir. O Éden, para ele, era o que é para um recém-nascido uma manjedoura confortável — um estado de bem-aventurança passiva; uma incubadora bem aparelhada.

A árvore do conhecimento do Bem e do Mal e a árvore da Vida estavam ambas a seu alcance; ele, porém, não estendia a mão para colher e provar de seus frutos, pois seu paladar e sua vontade, seus pensamentos e seus desejos e até mesmo sua própria vida estavam todos encerrados dentro dele, esperando para serem lentamente libertados. Ele, sozinho, não conseguia libertá-los. Consequentemente, foi feito que ele gerasse de si mesmo uma *auxiliadora* para si mesmo — uma mão que o ajudasse a remover seus muitos envoltórios.

Onde melhor obter sua ajuda senão de seu próprio ser, tão rico de auxílio por ser tão potente em divindade? E isso é extremamente significativo.

Eva não é novo pó nem novo alento, mas o mesmo pó e o mesmo alento de Adão — osso de seu osso e carne de sua carne. Nenhuma outra criatura surge em cena, mas o mesmo Adão solitário é duplicado — um Adão-masculino e um Adão-feminino.

Assim, a face solitária e sem reflexo obtém uma companhia e um espelho; e o nome sem eco em nenhuma voz humana principia a reverberar em doces refrões acima e abaixo pelas alamedas do Éden; e o coração cuja batida solitária era abafada em um peito solitário principia a sentir seu pulso e a ouvir sua batida em um coração companheiro dentro de um peito companheiro.

Assim, o aço não faiscante encontra o sílex que o faz emitir faíscas em abundância. Assim, a vela não acesa é acesa a partir de ambos os lados.

Uma é a vela, um é o pavio e uma é a luz, embora provindos de extremos aparentemente opostos. E assim, a semente no frasco encontra o solo onde pode germinar e explicar seus mistérios.

Assim a Unidade, inconsciente de si mesma, gerou a Dualidade, para que, por meio da fricção e da oposição da Dualidade, possa compreender sua unidade. Nisso também o Homem é a fiel imagem e semelhança de seu Deus, pois

Deus — a Consciência Primeva — projeta de Si o Verbo; e ambos, Verbo e Consciência, são unificados na Sagrada Compreensão.

Não é uma punição a Dualidade, mas um processo inerente à natureza da Unidade e necessário para a explicação de sua divindade. Como é infantil pensar de outro modo! Como é infantil acreditar que um processo tão estupendo possa terminar seu curso em três vintenas de anos mais dez, ou mesmo em três vintenas de milhões de anos!

É tão trivial assunto tornar-se um deus?

Será Deus um capataz tão cruel e miserável que, tendo toda a eternidade para presentear, não concedesse ao homem mais do que tão breve espaço de tempo de setenta anos para que ele se unificasse e reconquistasse seu Éden inteiramente consciente de sua divindade e de sua unidade com Deus?

Longo é o curso da Dualidade, e tolos são os que o medem com calendários. A Eternidade não conta as revoluções das estrelas.

Quando Adão, o passivo, o inerte, o não criador, foi feito dual, ele imediatamente se tornou ativo, cheio de movimento e capaz de criar-se e procriar-se.

Qual foi o primeiro ato de Adão depois de tornar-se dual? Foi *comer* da árvore do conhecimento do Bem e do Mal e, desse modo, fazer todo o seu mundo tão dual como ele. As coisas deixaram de ser o que eram — inocentes e indiferentes. Mas elas se tornaram boas ou más, úteis ou prejudiciais, agradáveis ou desagradáveis; tornaram-se dois campos opostos, ao passo que antes eram um.

E a serpente que *enganou* Eva para que provasse o Bem e o Mal, não era a profunda voz da Dualidade ativa, embora inexperiente, urgindo a si própria a agir e a experimentar?

Que Eva fosse a primeira a ouvir essa voz e a ela obedecer, de modo algum é de se admirar. Porque Eva era como se fosse a pedra de afiar, o instrumento designado a tornar manifestos os poderes latentes do companheiro.

Não vos detivestes, já muitas vezes, a visualizar essa primeira Mulher, nessa primeira história humana, caminhando furtivamente por entre as árvores do Éden, com os nervos à flor da pele, com o coração palpitando como o de um pássaro em uma gaiola, Esquadrinhando todos os lados por um possível flagrante, a boca salivando quando a mão trêmula se estendeu para o fruto tentador? Não tivestes a respiração suspensa quando ela colheu o fruto e fincou os dentes na polpa macia, para sentir-lhe momentaneamente a doçura, que teria de transformar-se em amargura perpétua para ela e para sua progenitura?

Não tendes desejado, de todo o coração, que Deus paralisasse a audácia insana de Eva, aparecendo-lhe justamente quando ela estava para cometer sua ação irresponsável, e não depois, como Ele o faz na história? E tendo ela cometido seu ato, não tendes desejado que Adão tivesse possuído a sabedoria e a coragem de abster-se de tornar-se seu cúmplice?

No entanto, nem Deus interveio, nem Adão se absteve. Isso porque Deus não queria sua semelhança dessemelhante a Ele. Era sua vontade e seu *plano* que o Homem caminhasse o longo caminho da Dualidade, a fim de descobrir sua própria vontade e plano e unificar-se pela Compreensão. Quanto a Adão, ele não poderia, mesmo que quisesse, refrear-se de compartilhar o fruto que lhe era estendido por sua esposa. Era sua incumbência comer dele, simplesmente porque sua esposa havia comido dele, pois ambos eram uma carne, e cada um prestava conta dos atos do outro.

Indignou-se e irou-se Deus porque o Homem comeu do fruto do Bem e do Mal? Deus nos livre. Porque Ele sabia que o Homem não poderia fazer outra coisa a não ser comer, e Ele queria que o homem comesse; mas queria também que o homem soubesse antecipadamente a consequência do comer e tivesse a coragem de enfrentar essa consequência. E o Homem teve a coragem. E o Homem comeu. E o Homem enfrentou a consequência.

A consequência foi a Morte. Porque o Homem, ao tornar-se ativamente dual pela vontade de Deus, morreu imediatamente para a unidade passiva. Portanto, a Morte não é uma penalidade, mas uma fase de vida inerente à Dualidade. Porque a natureza da Dualidade é tornar todas as coisas duais e criar para tudo uma sombra. Assim, Adão gerou sua sombra em Eva, e ambos geraram, para sua vida, uma sombra chamada Morte. Mas Adão e Eva, embora obumbrados pela Morte, continuam a ter vida sem sombra na vida de Deus.

Uma fricção constante é a Dualidade; e a fricção dá a ilusão de dois lados opostos, curvados sobre o autoextermínio. Em verdade, os opostos aparentes autocompletam-se, autorrealizam-se e trabalham de mãos dadas por uma e única finalidade — a perfeita paz e a unidade e o equilíbrio da Sagrada Compreensão. A ilusão, porém, está enraizada nos sentidos e persiste enquanto estes persistem.

Portanto, Adão de fato respondeu a Deus, quando Ele o chamou, depois de seus olhos terem sido abertos: "Eu ouvi tua voz soar no jardim, e eu temi, porque eu estava nu, e eu escondi-me". Como também: "A mulher que me deste para estar comigo, ela deu-me da árvore, e eu comi".

Nada era Eva senão a própria carne e o próprio osso de Adão. Considerai, porém, esse recém-nascido eu de Adão, o qual, depois de *seus olhos terem sido abertos,* principiou a ver-se como algo diferente, apartado e independente de Eva, de Deus e de toda a criação de Deus.

Uma ilusão era esse *eu*. Uma ilusão dos olhos recém--abertos era essa personalidade separada de Deus. Não tinha substância nem realidade. Havia nascido para que, através de sua morte, o Homem pudesse vir a conhecer seu ser real, que é o ser de Deus. Esse eu desvanecerá quando o olho externo for escurecido e o olho interno for iluminado. Embora isso deixasse Adão confuso, intrigava fortemente sua mente e fascinava-lhe a imaginação. Ter um eu do qual se possa dizer que é inteiramente seu – isso é de fato por demais lisonjeiro e tentador para o Homem que não tinha consciência de nenhum eu.

E Adão foi tentado e lisonjeado por seu eu ilusório. Embora estivesse *envergonhado* dele, por ser muito irreal, ou muito *nu,* dele não queria apartar-se; ao contrário, agarrava--se a ele de todo o coração e com toda a sua genialidade recém-nascida. E ele costurou folhas de figueira e fez para si um avental com o qual cobrisse sua personalidade *nua* e a conservasse para si, longe da vista onipenetrante de Deus.

Desse modo, o Éden, o estado de bem-aventurada inocência, a unidade inconsciente de si mesma, separou-se do Homem dual revestido de avental de folhas de figueira; e espadas de flama foram postas entre ele e a Árvore da Vida.

O Homem saiu do Éden pelo portal gêmeo do Bem e do Mal; a ele voltará pelo portal único da Compreensão. Retirou-se dando as costas à Árvore da Vida; retornará com a face voltada para essa Árvore. Iniciou sua longa e penosa jornada envergonhado de sua nudez e tendo o cuidado de esconder sua vergonha; chegará ao fim de sua jornada com sua pureza sem aventais e com o coração orgulhoso de sua nudez.

Isso, porém, não se dará até que o Homem seja, pelo *Pecado*, liberto do *Pecado*, pois o Pecado provará sua própria ruína. E onde está o Pecado senão no avental de folhas de figueira?

Sim, nada mais é o Pecado do que a barreira que o Homem colocou entre ele e Deus — entre seu ser transitório e seu Ser permanente.

A princípio um punhado de folhas de figueira, essa barreira veio a tornar-se um poderoso baluarte. Desde o momento em que se despiu da inocência do Éden, o Homem tem trabalhado intensamente para reunir cada vez mais folhas de figueira e suturar aventais sobre aventais.

Os preguiçosos contentam-se em remendar os rasgões de seus aventais com os trapos descartados por seus vizinhos mais diligentes; e cada remendo na roupa do Pecado é pecado, pois tende a perpetuar essa vergonha que foi o primeiro e pungente sentimento que o Homem teve ao destacar-se de Deus.

Está o Homem fazendo algo para livrar-se dessa vergonha? Ah! Todo o seu labor é vergonha empilhada sobre vergonha e aventais sobre aventais.

Que são as artes e as erudições do Homem, senão folhas de figueira?

Seus impérios, nações, segregações raciais e religiões, na vereda da guerra, não são cultos de adoração à folha de figueira?

Seus códigos de certo e errado, de honra e desonra, de justiça e injustiça; seus incontáveis credos sociais e suas convenções — que são, senão aventais de folhas de figueira?

Seu avaliar o inestimável, e medir o imensurável, e padronizar o que está além de qualquer padrão — não é tudo isso remendar o já ultrarremendado cinto que cinge os lombos?

Sua gula pelos prazeres que estão plenos de sofrimento; sua ganância pelas riquezas que empobrecem; sua sede pela mestria que subjuga; sua luxúria pela grandeza que deprecia — não são todas essas coisas aventais de folhas de figueira?

Nessa corrida patética para cobrir sua *nudez,* o Homem vestiu um demasiado número de aventais que, no correr dos anos, grudaram tão fortemente à sua pele que ele já não os distingue da pele. E o Homem ofega por falta de ar, e apela por alívio de suas numerosas peles. No entanto, em seu delírio, o Homem tudo faria para ser aliviado de sua carga, menos a única coisa que em verdade pode aliviá-lo, que é atirar fora essa carga. Ele quer livrar-se de suas peles extras enquanto agarra-se a elas com todas as suas forças. Desejaria ser desnudado e, no entanto, permanece completamente vestido.

É chegada a hora de desnudar-se, e eu vim para auxiliar-vos a lançar fora vossas peles extras — vossos aventais de folhas de figueira — para que assim possais também auxiliar a todos os que anseiam no mundo para também atirarem fora as suas. Eu só aponto o caminho, mas cada qual terá de desnudar-se ele mesmo, por mais penoso que lhe seja esse empreendimento.

Não espereis por nenhum milagre que vos salve de vós mesmos, nem receeis a dor; a Compreensão nua converterá vossa dor em um perene êxtase de alegria.

Se vos enfrentásseis a vós próprios, na nudez da Compreensão, e se Deus vos chamasse e perguntasse: "Onde estais?" — não vos sentiríeis envergonhados, nem temeríeis, nem vos ocultaríeis de Deus, mas, ao contrário, permaneceríeis inabaláveis, soltos e divinamente serenos, e responderíeis a Deus:

"Eis-nos aqui, Deus — nossa alma, nossa existência, nosso único ser. Na vergonha, no medo e na dor, caminhamos pela longa, áspera e tortuosa vereda do Bem e do Mal que tu nos apontastes na aurora do tempo. A Grande Nostalgia apressou nossos pés e a Fé sustentou nosso coração, e agora a Compreensão libertou-nos de nossas cargas, fechou nossas feridas e trouxe-nos de volta à tua santa presença, desnudos do Bem e do Mal, da Vida e da Morte, desnudos de todas as ilusões da Dualidade, desnudos de cada ser, exceto de vosso oniabarcante Ser. Sem folhas de figueira para esconder nossa nudez, aqui estamos diante de ti, livres da vergonha, iluminados e sem temor. Vede, estamos unificados. Vede, nós vencemos".

E Deus vos abraçará, com infinito Amor, e vos levará diretamente à sua Árvore da Vida.

Assim ensinei eu a Noé.

Assim eu vos ensino.

Naronda: Também isso nos foi dito pelo Mestre à volta do braseiro.

CAPÍTULO XXXIII

Da Noite — a Cantora Incomparável

Naronda: Como o exilado sente saudades do lar, assim tínhamos nós saudades do Ninho da Águia, que os ventos gelados e as tempestades de neve haviam tornado inacessível durante todo o inverno.

O Mestre escolheu uma noite de Primavera, cujos olhos eram suaves e brilhantes, cujo alento era cálido e perfumado, cujo coração era rápido e amplamente desperto, para nela levar-nos ao Ninho da Águia.

As oito pedras planas que nos serviam de assentos ainda estavam dispostas exatamente no mesmo semicírculo, tal como as havíamos deixado no dia em que o Mestre fora levado para Bethar. Era evidente que ninguém visitara o Ninho da Águia desde aquele dia.

Cada um de nós tomou seu lugar costumeiro e aguardou que o Mestre falasse. Ele, porém, não abria a boca. Até mesmo a lua cheia, que nos mirava como a desejar-nos boas-vindas, parecia pender em suspense nos lábios do Mestre.

As cataratas da montanha, tombando de penhasco em penhasco, enchiam a noite com suas turbulentas melodias.

Ocasionalmente, o ulular de uma coruja ou as notas quebradas do canto de um grilo chegava a nossos ouvidos.

Durante muito tempo permanecemos num silêncio de tirar o fôlego, antes que o Mestre levantasse a cabeça e, abrindo os olhos semicerrados, principiasse a falar-nos desta maneira:

MIRDAD: Na quietude desta noite Mirdad gostaria que ouvísseis as canções da Noite. Prestai ouvidos ao coro da Noite, pois a Noite é verdadeiramente uma cantora incomparável.

Das mais escuras fissuras do passado, dos mais luminosos castelos do futuro, dos pináculos dos céus e das entranhas da terra, as vozes da Noite jorram e se precipitam até os mais distantes cantos do Universo. Em poderosas ondas elas rolam e remoinham ao redor de vossos ouvidos. Descarregai completamente os ouvidos para que possais ouvi-las bem.

Aquilo que o agitado Dia descuidadamente rasura, a vagarosa Noite restaura com sua magia passageira. Não se escondem a lua e as estrelas no brilho do Dia? Aquilo que o Dia afoga em seu confuso faz de conta, a Noite canta amplamente em comedido êxtase. Até mesmo os sonhos das ervas inflam o coro da Noite.

Prestai ouvidos às esferas:
Quando vibram pelos céus afora.
Ouvi-as cantar suas cantigas de ninar
Para o nenê gigante dorminhoco
Em um berço de areias movediças,
Para o rei vestido em trapos de mendigo,
Para o relâmpago agrilhoado —
　Para o deus envolto em faixas.

Escutai a Terra, ao mesmo tempo em trabalho de parto,
Amamentando, criando, casando, enterrando.
As bestas selvagens rondando na floresta,
Rosnando, uivando, rasgando, dilacerados;
Rastejadores seguindo seus caminhos;
Insetos zunindo suas baladas místicas;
Pássaros ensaiando em seus sonhos,
Contos dos prados, cantigas dos regatos;
Árvores e arbustos e cada alento
Sorvendo a vida em taças de morte.

Do cume e do vale,
Do deserto e do mar,
Do ar e de sob a relva,
Lança-se o desafio ao Deus velado pelo Tempo.

Escutai as mães do mundo —
  Como choram, como se lamentam;
E os pais do mundo —
  Como gemem, como se afligem.
Escutai seus filhos e filhas correr
Para as armas e das armas,
Repreendendo Deus e amaldiçoando o Destino,
Fingindo amor e respirando ódio,
Bebendo zelo e suando temores,
Semeando sorrisos e colhendo lágrimas,
Estimulando com seu sangue carmesim
A fúria do dilúvio que se junta.

Escutai seu estômago faminto encolher-se,
E suas pálpebras inchadas piscar,

E seus dedos ressecados tatear
Em busca da carcaça de sua esperança;
E seu coração distender e rebentar
De monte em monte e de pilha em pilha.

Escutai os engenhos inimigos roncar,
E as altaneiras cidades tombar,
E as poderosas cidadelas
Tocar seus próprios dobres fúnebres,
E os monumentos de antanho
Chafurdar nas poças de lama e sangue.

Escutai as orações do justo repicar
Junto com guinchos de luxúria,
E o balbuciar ingênuo do bebê
Rapsodiar com a malvada tagarelice,
E o sorriso ruborizado da donzela
Gorjear com a perfídia da prostituta;
E o êxtase do valente
Cantarolar as ruminações do pajem.

Em cada tenda e choça de cada tribo e clã,
A Noite trombeteia o hino de batalha do Homem.

Mas a Noite, a feiticeira,
Combina bem as cantigas de ninar,
Os desafios, os hinos de batalha e tudo o mais,
Em canção demasiado sutil para o ouvido —
Canção tão grandiosa, tão infinita em diapasão,
De tão profundo tom, tão melodioso refrão,
Que até os coros e as sinfonias dos anjos,

Em comparação, não passam de ruído e balbucio.
Essa é a canção de triunfo do Vitorioso.

As montanhas cochilando no regaço da Noite,
Os desertos reminiscentes com suas dunas,
Os abismos sonâmbulos, as estrelas errantes,
Os habitantes das cidades dos mortos,
A Santa Tríade e a Onivontade
Saúdam e aclamam o Homem Vitorioso.
Felizes são os que ouvem e compreendem.

Felizes são os que, quando a sós com a Noite,
Sentem-se calmos, e profundos e vastos como a Noite;
Cujas faces não são golpeadas no escuro
Pelos erros que perpetraram no escuro;
Cujas pálpebras não ardem com as lágrimas
Que fizeram seu semelhante verter;
Cujas mãos não coçam de malícia e de ganância;
Cujos ouvidos não são assediados
Pelos silvos de suas luxúrias;
Cujos pensamentos não são mordidos
Por seus pensamentos;
Cujo coração não é colmeia
Para todo tipo de preocupações
Que enxameiam infinitamente
De cada ângulo do Tempo;
Cujos temores não cavam túneis no cérebro;
Que podem dizer corajosamente à Noite:
"Revela-nos ao Dia"
E dizer ao Dia:
"Revela-nos à Noite".

*Sim, três vezes felizes são os que,
Quando a sós com a Noite,
Sentem-se tão bem sintonizados,
Tão infinitos como a Noite.
Para eles somente a Noite canta a canção do Vitorioso.*

Se quiserdes enfrentar a calúnia do Dia com a cabeça bem erguida e os olhos acesos de fé, apressai-vos para conquistar a amizade da Noite.

Sede amigos da Noite. Lavai completamente o coração em vosso próprio sangue vital e colocai-o no coração da Noite. Confiai vossos anelos desnudos ao seu seio e imolai vossas ambições a seus pés, exceto a ambição de serdes livres mediante a Sagrada Compreensão. Sereis, então, invulneráveis a todos os dardos do Dia, e a Noite testemunhará por vós, perante os homens, de que verdadeiramente sois vitoriosos.

*Embora os dias febris vos atirem para cá e para lá,
E noites sem estrelas vos envolvam em suas trevas,
E sejais atirados às encruzilhadas do mundo,
Sem pegadas ou sinais para indicar o caminho,
Não temais, contudo, homem algum ou circunstância alguma,
Nem tenhais a menor sombra de dúvida
E não tenhais a menor sombra de dúvida
De que os dias e as noites,
Bem como os homens e as coisas,
Mais cedo ou mais tarde vos procurarão
E pedirão com mansidão
Que os comandeis.
Porque tereis conquistado a confiança da Noite.
E quem conquista a confiança da Noite
Pode, facilmente, comandar o dia vindouro.*

Dai ouvidos ao coração da Noite, pois nele bate o coração do Vitorioso.

Se eu tivesse lágrimas, oferecê-las-ia esta noite a cada estrela cintilante e grãozinho de pó, a cada córrego gorgolejante e cigarra cantora, a cada violeta que envia pelo ar sua alma fragrante, a cada vento errante, a cada monte e vale, a cada árvore e a cada folha de capim — a toda a transitória paz e beleza desta Noite, eu derramaria minhas lágrimas diante delas, como desculpas pela ingratidão e selvagem ignorância dos homens.

Porque os homens, os recrutas do hediondo Vintém, estão ocupados no serviço de seu senhor, excessivamente ocupados para dar atenção a qualquer voz ou vontade que não seja sua própria voz ou vontade.

E pavoroso é o negócio do senhor dos homens. É transformar seu mundo em um matadouro em que eles são os abatedores e o abate. Assim, inebriados pela sangria, homens massacram homens, acreditando que quem mais mata herda, dos que foram massacrados, toda a partilha da generosidade da terra e da liberalidade dos céus.

Crédulos infelizes! Desde quando um lobo torna-se cordeiro por dilacerar outro lobo? Desde quando uma serpente torna-se pomba por esmagar e devorar companheiras-serpentes? Desde quando um homem, por matar outro homem, só herda suas alegrias, sem suas tristezas? Desde quando um ouvido, tampando outros ouvidos, torna-se mais sintonizado com as harmonias da Vida, ou um olho, arrancando outros olhos, torna-se mais sensível às emanações da Beleza?

Haverá um homem ou qualquer hoste de homens que possa exaurir as bênçãos de uma única hora, seja de pão e vinho, seja de luz e paz? A Terra não gera mais do que pode alimentar. Os céus não solicitam nem furtam a subsistência de seus filhotes.

Mentem os que dizem aos homens: "Se queres satisfazer-te, mata e herda daqueles que matas".

Como pode ele prosperar com as lágrimas, o sangue e as agonias de homens que falharam em prosperar em seu amor, no leite e no mel da Terra, e na profunda afeição dos céus?

Mentem os que dizem aos homens: "Cada nação por si".

Como poderia a centopeia avançar um só centímetro se cada perna se movesse em direção contrária à das outras, ou bloqueasse o progresso das outras, ou planejasse destruição para as outras? Não é a humanidade um monstro centípede, cujas numerosas pernas são as nações?

Mentem os que dizem aos homens: "Regência é honra, ser regido é vergonha".

Não é o condutor do burro guiado pelo rabo do burro? Não está quem enjaula preso ao enjaulado?

Na verdade, o burro conduz seu condutor, e o enjaulado prende quem o enjaula.

Mentem os que dizem aos homens: "A corrida é do veloz, o direito é do poderoso".

Porque a vida não é uma corrida de músculo e força muscular. O coxo e o aleijado, muitas vezes, alcançam a meta muito mais rapidamente do que o perfeito e, às vezes, até um mosquito derruba um gladiador.

Mentem os que dizem aos homens que o erro não pode ser corrigido senão pelo erro. Um erro superposto a outro erro jamais poderá corrigi-lo. Deixai o erro em paz, e ele próprio desfará sua obra.

Mas os homens são crédulos em toda a filosofia de seu senhor. Acreditam piamente no Vintém e seus corvos-marinhos[15] e cumprem fielmente seus mais extravagantes caprichos.

Ao passo que na Noite, que canta e prega a libertação — e até no próprio Deus — eles não confiam nem dão atenção. E vós, companheiros, sereis por eles marcados a fogo ou como lunáticos ou como impostores.

Não vos ofendais com a ingratidão e a aguilhoadora zombaria dos homens; mas labutai com amor e inexaurível paciência para que eles se libertem de si mesmos e do dilúvio de fogo e sangue que em breve virá sobre eles.

Já é tempo de os homens pararem de abater homens.

O sol, a lua e as estrelas estão desde a eternidade esperando ser vistos, ouvidos e compreendidos; o alfabeto da Terra, ser decifrado; as estradas do Espaço, ser percorridas; o fio enredado do Tempo, ser desenredado; a fragrância do Universo, ser inalada; as catacumbas da Dor, ser demolidas; o antro da Morte, ser saqueado; o pão da Compreensão, ser provado; e o Homem, o Deus em véus, ser desvelado.

Já é tempo de os homens pararem com a pilhagem de homens e unirem fileiras para levar à frente a tarefa comum. Enorme é a tarefa, porém doce é a vitória. Tudo o mais, em comparação, é trivial e vazio.

Sim, já é tempo. Poucos, todavia, darão ouvidos. Os outros terão de aguardar novo chamado — nova alvorada.

15: Deuteronômio (14:17) e Levítico (11:17) (N.T.).

CAPÍTULO XXXIV

Do Ovo-Mãe

MIRDAD: Na quietude desta noite, Mirdad gostaria que meditásseis sobre o Ovo-Mãe.

O Espaço e tudo o que nele há é um ovo cuja casca é o Tempo. Esse é o Ovo-Mãe.

Envolvendo esse Ovo, como o ar envolve a Terra, está Deus *Manifestado,* o *Macro*-Deus, a Vida incorpórea, infinita e inefável.

Envolvido nesse Ovo está Deus *Latente,* o *Micro*-Deus, a Vida corpórea, também infinita e inefável.

Conquanto imensurável no que se refere às medidas humanas, o Ovo-Mãe tem limites. Embora ele próprio não seja infinito, bordeja o infinito por todos os lados.

Todas as coisas e seres do Universo são ovos do espaço-tempo encerrando o mesmo *Micro*-Deus, porém em vários estágios de desenvolvimento. O *Micro*-Deus no Homem tem maior expansão de espaço-tempo do que o *Micro*-Deus no animal, e no animal, maior expansão do que na planta, e assim por diante descendo a escala de criação.

Os incontáveis ovos que representam todas as coisas e seres, visíveis e invisíveis, estão de tal modo arranjados dentro do Ovo-Mãe que o maior em expansão contém o imediatamente menor, com espaços intermediários, até o menor ovo de todos, que é o núcleo central, encerrado no espaço e no tempo *infinitesimais*.

Um ovo dentro de um ovo, dentro de um ovo, desafiando números humanos, e todos fertilizados por Deus — esse é o Universo, meus companheiros.

No entanto, sinto que minhas palavras são demasiadamente escorregadias para vossa mente, e alegremente as faria degraus firmes e seguros, se é que alguma palavra já se tornou degrau firme e seguro na escada que leva à perfeita Compreensão. Agarrai-vos a mais do que palavras e a mais do que vossa mente, se desejardes alcançar as alturas e profundidades e latitudes que Mirdad desejaria que alcançásseis.

Palavras são, quando muito, lampejos que revelam horizontes; não são o caminho para esses horizontes, menos ainda os próprios horizontes. Por isso, quando vos falo do Ovo e dos ovos, do *Macro*-Deus e do *Micro*-Deus, não vos apegueis à letra, mas segui o lampejo. Assim, verificareis que minhas palavras são poderosas asas para vossa vacilante compreensão.

Considerai a Natureza toda ao vosso redor. Não verificais que está construída sobre o princípio do ovo? Sim, no ovo ireis encontrar a chave de toda a criação.

É um ovo vossa cabeça, vosso coração, vosso olho. É um ovo cada fruto e cada semente dele. Um ovo é uma gota de água e cada esperma de qualquer criatura viva. E as incontáveis esferas que traçam seus mapas místicos sobre a face dos céus — não são todas elas ovos contendo a quintessência da

Vida — o *Micro*-Deus — em vários estágios de desenvolvimento? Não está toda a Vida eclodindo constantemente de um ovo e tornando a entrar em outro ovo?

Realmente miraculoso e contínuo é o processo da criação. O fluxo de Vida da superfície do Ovo-Mãe para seu centro e do centro para a superfície continua ininterruptamente. Ao expandir-se no Tempo e no Espaço, o *Micro*-Deus no núcleo central passa de ovo a ovo, da mais baixa à mais elevada ordem de Vida, sendo a mais baixa a de menor expansão e a mais elevada a de maior expansão no Tempo e no Espaço, variando o tempo necessário para a passagem de um ovo para outro de um piscar de olhos, em alguns casos, até éons, em outros. E assim o processo continua, até que a casca do Ovo--Mãe é perfurada e o *Micro*-Deus emerge como *Macro*-Deus.

Portanto, a Vida é desabrochar, crescimento e progresso; não, porém, como os homens costumam falar de crescimento e de progresso, pois crescimento, para eles, é um acréscimo em volume e progresso, o caminhar para frente. O crescimento, porém, é uma expansão por todos os lados no Tempo e no Espaço, e o progresso é um movimento que se estende igualmente em todas as direções: para trás, bem como para frente, para baixo e para os lados, bem como para cima. O crescimento último, pois, é ultrapassar o Espaço; e o progresso último é transpor o Tempo, fundindo-se assim no *Macro*-Deus e atingindo Sua libertação das cadeias do Tempo e do Espaço, que é a única liberdade que merece tal nome. E é esse o destino traçado para o Homem.

Meditai bem sobre essas palavras, ó monges. A não ser que vosso próprio sangue as embeba com prazer, vossos esforços para vos libertardes e para libertar outros poderão adicionar mais elos às vossas cadeias e às deles. Mirdad quer que compreendais, para que possais auxiliar todos os que anseiam compreender. Mirdad quer ver-vos livres, para que possais liderar para a Liberdade a raça dos que anseiam por vencer e ser livres. Portanto, elucidará ainda melhor esse princípio do ovo, especialmente na medida em que isso toca o Homem.

Todas as ordens de existência abaixo do Homem estão inclusas em ovos grupais. Há, pois, para as plantas, tantos ovos quantas variedades de plantas existam, as mais evoluídas incluindo as menos evoluídas. E acontece o mesmo com os insetos, os peixes e os mamíferos; sempre os mais evoluídos incluindo todas as ordens de Vida abaixo deles, até o núcleo central.

Assim como a gema e a clara dentro de um ovo comum servem para alimentar e desenvolver o pintinho embrionário nele encerrado, também todos os ovos inclusos em qualquer ovo servem para alimentar e desenvolver o *Micro*-Deus ali encerrado.

Em cada ovo sucessivo, o *Micro*-Deus encontra um alimento espaço-tempo ligeiramente diferente do que lhe foi fornecido num ovo precedente. Daí a diferença na expansão de espaço-tempo. Difuso e informe no Gás, ele torna-se mais concentrado e aproxima-se da forma no Líquido, enquanto no mineral ele assume forma e fixidez definidas, permanecendo o tempo todo desprovido de quaisquer atributos da Vida, conforme se manifestam nas formas superiores. No Vegetal, toma uma forma com a capacidade de crescer, multiplicar-se e sentir. No Animal, sente, move-se, propaga-se e possui memória e rudimentos de pensamento. Mas no Homem, além de tudo isso, adquire uma *personalidade* e a capacidade de *contemplar*, de *expressar-se* e de *criar*. Certamente que a criação do Homem, em comparação com a de Deus, é semelhante a um castelo de cartas construído por uma criança comparado a um glorioso templo ou a um gracioso castelo construído por um superarquiteto. Não obstante, é criação.

Cada homem se torna um ovo *individual,* o mais evoluído incluindo o menos evoluído mais todos os ovos animais, vegetais e inferiores, até o núcleo central; enquanto o mais evoluído — o Vitorioso — inclui todos os ovos humanos e menos que humanos.

O *tamanho* do ovo que inclui qualquer homem é *medido* pela latitude dos horizontes de espaço-tempo desse homem. Enquanto a consciência de Tempo de um homem não abarca mais do que o breve período que vai de sua infância até o momento presente e seus horizontes de Espaço não abrangem mais do que seus olhos podem alcançar, os horizontes de outro abrangem passados imemoriais e futuros bem distantes e léguas de espaços ainda não atravessados por seus olhos.

O alimento provido a todos os homens para seu desabrochar é o mesmo; não é, porém, a mesma sua capacidade de alimentação e digestão, pois não eclodiram do mesmo ovo no mesmo tempo e lugar. Daí a diferença em sua expansão de espaço-tempo; e aí está o motivo de não se encontrarem dois exatamente iguais.

Da mesma mesa, tão rica e prodigamente posta diante de todos os homens, um refestela-se com a pureza e a beleza do ouro, e satisfaz-se; enquanto outro se refestela com o próprio ouro, e está sempre com fome. Um caçador, ao ver uma corça, é impelido a matá-la e a consumi-la. Um poeta, ao ver a mesma corça, é arrebatado, como que por asas, a espaços e tempos com os quais o caçador nem sonha. Micayon, vivendo na mesma Arca com Shamadam, sonha com a última liberdade e com o cume da libertação dos limites do Tempo e do Espaço, enquanto Shamadam está constantemente ocupado em amarrar os pés com alças cada vez mais compridas e mais fortes de Espaço e Tempo. Verdadeiramente, Micayon e Shamadam, embora se acotovelem, estão muito longe um do outro. Micayon contém Shamadam, porém Shamadam não contém Micayon. Por isso Micayon pode compreender Shamadam, mas Shamadam não pode compreender Micayon.

A vida de um Vitorioso toca a vida de cada homem por todos os lados, porque contém a vida de todos os homens. No entanto, a vida de nenhum homem toca, por todos os lados, a vida de um Vitorioso. Ao mais simples dos homens, o Vitorioso parece ser o mais simples dos homens. Ao altamente evoluído, parece ser altamente evoluído. Mas há sempre lados dele que nenhum homem menos do que um Vitorioso pode sentir e compreender. Daí sua solidão e percepção de estar no mundo, porém não ser do mundo.

O *Micro*-Deus não está confinado por sua vontade. Ele está sempre tentando libertar-se do confinamento Espaço e Tempo, usando uma inteligência muito superior à humana. Nos entes inferiores, os homens chamam-na de *instinto*. Nos homens comuns, chamam-na de *razão*. Nos homens superiores, chamam-na de *sentido profético*. E é tudo isso e muito mais que isso. É aquele poder inominado a que alguns deram, adequadamente, o nome de Espírito Santo, e que Mirdad denomina de Espírito da Sagrada Compreensão.

O primeiro Filho do Homem que perfurou a casca do Tempo e cruzou a fronteira do Espaço é chamado, corretamente, o Filho de Deus. Sua compreensão de sua divindade é, adequadamente, chamada de Espírito Santo. Mas estejais certos de que vós também sois filhos de Deus e de que também em vós o Espírito Santo está abrindo caminho. Trabalhai com ele e jamais contra ele.

Enquanto, porém, não houverdes perfurado a casca do Tempo e cruzado a fronteira do Espaço, que ninguém diga "Eu sou Deus". Antes diga "Deus é eu".[16] Conservai bem isso na mente, para que arrogância e vãs imaginações não vos corrompam o coração nem militem contra a obra do Espírito Santo dentro de vós, pois a maioria dos homens opera contra a obra do Espírito Santo, adiando, assim, sua libertação última.

Para conquistar o Tempo, tereis de combater o Tempo com o Tempo. Para vencer o Espaço, tereis de deixar o Espaço devorar o Espaço. Fazer-se de amável anfitrião de qualquer um deles é permanecer prisioneiro de ambos e refém das infindáveis palhaçadas do Bem e do Mal.

Os que encontraram seu destino e anseiam por realizá-lo não desperdiçam nem tempo afagando o Tempo, nem passos percorrendo o Espaço. Em uma única curta vida eles podem abreviar éons e aniquilar estupendas vastidões. Eles não dependem da Morte para levá-los ao ovo próximo ao deles; encarregam a Vida de auxiliá-los a perfurar a casca de muitos ovos de uma só vez.

Para isso precisais estar despojados de tudo, para que o Tempo e o Espaço não tenham domínio sobre vosso coração. Quanto mais possuirdes, mais sereis possuídos. Quanto menos possuirdes, menos sereis possuídos.

Sim, sede despojados de tudo, exceto de vossa Fé, de vosso Amor e de vosso anseio por libertação através da Sagrada Compreensão.

16: A tradução mais fiel seria: Deus é o eu, no sentido do verdadeiro eu divino. O respeito ao original fez-nos adotar a forma acima (N.T.).

CAPÍTULO XXXV

Centelhas no Caminho que conduz a Deus

MIRDAD: Na quietude desta noite, Mirdad gostaria de espargir algumas centelhas em vosso caminho em direção a Deus:

Evitai as discussões. A Verdade é um axioma; ela não necessita de prova.

Tudo o que deve ser sustentado com argumentos e provas mais tarde ou mais cedo é derrubado com provas e argumentos.

Provar algo é reprovar seu oposto. Provar seu oposto é reprová-lo. Deus não tem opostos. Como podereis provar ou reprovar Deus?

Para ser um canal da Verdade, a língua jamais deve ser um flagelo, uma presa, um cata-vento, um acrobata ou alimentar-se de carniça.

Falai para relevar o silencioso. Sede silenciosos para aliviar a vós mesmos.

As palavras são barcos que singram os mares do Espaço e atracam em muitos portos. Tende cuidado com o que as carregais, pois, tendo terminado seu percurso, descarregarão finalmente sua carga à vossa porta.

O que a vassoura é para a casa, o autoexame é para o coração. Varrei bem o coração.

Um coração bem varrido é uma fortaleza inatacável.

Assim como vos alimentais dos homens e das coisas, também eles se alimentam de vós. Sede alimento sadio para o próximo, se não quiserdes ser envenenados.

Quando estiverdes em dúvida sobre o próximo passo, permanecei parados.

Sois desagradáveis às coisas que vos desagradam. Apreciai-as e deixai-as em paz, removendo, assim, um obstáculo de vossa senda.

O mais insuportável aborrecimento é considerar qualquer coisa um aborrecimento.

Fazei uma escolha: ou possuir todas as coisas ou nada possuir. Nenhum meio termo é possível.

Toda pedra de tropeço é um aviso. Lede bem o aviso, e a pedra de tropeço se tornará um farol.

O reto é irmão do torto. O primeiro é um atalho; o segundo, o caminho que dá a volta. Tende paciência com o torto.

A paciência é saúde quando se apoia na Fé. Quando não está acompanhada de Fé, é paralisia.

Ser, sentir, pensar, imaginar, conhecer — eis a ordem dos principais estágios no circuito da vida humana.

Cuidado quanto ao apreciar e ao ser apreciado, mesmo que sejam de modo muito sincero e merecido. Quanto à lisonja, sede surdos e mudos a seus votos insidiosos.

Tomais emprestado tudo quanto dais, enquanto estiverdes conscientes de estar dando.

Em realidade, nada que é vosso podeis dar. Apenas podeis dar aos homens o que guardais em custódia para eles.

O que é vosso — e exclusivamente vosso — não podeis dar, mesmo se o desejásseis.

Conservai-vos equilibrados e sereis a medida e a balança para os homens medirem e pesarem a si mesmos.

Não há pobreza nem riqueza. Há a habilidade de usar as coisas.

O realmente pobre é o que usa mal o que tem. O realmente rico é o que usa bem o que tem.

Até mesmo uma crosta de pão mofada pode ser riqueza incalculável. Mesmo um celeiro estocado de ouro pode ser pobreza além de qualquer alívio.

Onde muitas estradas convergem, não hesiteis quanto aquela a tomar. Para o coração que busca a Deus, todas as estradas conduzem a Deus.

Aproximai-vos reverentemente de todas as formas de Vida. Na menos significante está escondida a chave da mais significante.

Todas as obras de Vida são significantes — sim, maravilhosas, transcendentes e inimitáveis. A Vida não se ocupa de ninharias inúteis.

Para sair das oficinas da Natureza, uma coisa precisa ser merecedora do amoroso cuidado da Natureza e de sua mais esmerada arte. Não deveria ela ser, pelo menos, merecedora de vosso respeito?

Se até mosquitos e formigas merecem respeito, quanto mais vossos semelhantes?

Não desdenheis homem algum. É melhor ser desdenhado por todos os homens do que desprezar um único homem.

Porque desdenhar um homem é desdenhar o *Micro*-Deus que nele há. Desdenhar o *Micro*-Deus em qualquer homem é desprezá-Lo em vós mesmos. Como pode atingir seu refúgio quem escarnece do único piloto que pode conduzi-lo a esse refúgio?

Olhai para cima para que possais ver o que está embaixo. Olhai para baixo para que possais ver o que está em cima.

Descei o quanto houverdes subido; ou perdereis o equilíbrio.

Hoje sois discípulos; amanhã sereis mestres. Para serdes bons mestres, devereis continuar a ser bons discípulos.

Não tenteis eliminar o Mal do mundo; até mesmo as ervas daninhas servem de bom adubo.

O zelo mal aplicado frequentemente mata o zelote.[17]

Somente árvores altas e majestosas não fazem uma floresta. A vegetação menor e as videiras trepadeiras são sempre necessárias.

A hipocrisia pode ser impelida a acobertar-se — durante algum tempo; não pode ser mantida ali para sempre; nem pode ser exposta e exterminada.

Paixões sombrias procriam-se e prosperam nas trevas. Concedei-lhes a liberdade da luz se quereis diminuir sua linhagem.

Se dentre mil hipócritas conseguirdes recuperar um único para a simples honestidade, então de fato grande é vosso sucesso.

Acendei um farol no alto e não andeis a chamar os homens para que o vejam. Os que necessitarem de luz não precisarão ser convidados a ela.

A sabedoria é uma carga para o semissábio, assim como a tolice o é para o tolo. Ajudai o semissábio com sua carga e

---

17: O autor utilizou a palavra zealot e não zealous, zeloso (N.T.).

deixai de lado o tolo; o semissábio poderá ensiná-lo mais do que vós.

Muitas vezes pensareis que vosso caminho é intransitável, sombrio e falto de companheiros. Tende vontade e continuai a trilhá-lo; e a cada curva encontrareis um novo companheiro.

Nenhuma estrada no Espaço ínvio está ainda não trilhada. Onde os rastros de pegadas são escassos e distantes uns dos outros, o caminho é seguro e reto, embora rude em alguns trechos e solitário.

Os guias podem mostrar o caminho a quem deseja conhecê-lo; não podem forçá-los a trilhá-lo. Lembrai-vos de que sois guias.

Para bem guiar, alguém precisa ser bem guiado. Confiai em vosso Guia.

Muitos vos dirão: "Mostrai-nos o caminho". Porém poucos, muito poucos, vos dirão: "Rogamo-vos, guiai-nos no caminho".

No caminho da vitória, os poucos contam mais do que os muitos.

Rastejai onde não puderdes andar. Andai onde não puderdes correr. Correi onde não puderdes voar. Voai onde não puderdes fazer que todo o Universo se aquiete dentro de vós.

Não uma vez, nem duas, nem mesmo cem vezes deveis levantar o homem que tropeça quando tenta seguir vossa direção. Continuai a levantá-lo, até que já não tropece, lembrando-vos de que vós também já fostes bebês.

Ungi o coração e a mente com o perdão, para que possais sonhar sonhos ungidos.

A Vida é uma febre de intensidade e tipos variáveis, dependendo da obsessão de cada homem, e os homens estão sempre delirando. Bem-aventurados os que deliram com a Sagrada Liberdade, que é o fruto da Sagrada Compreensão.

As febres dos homens são transmutáveis. A febre da guerra pode ser transmutada na febre da paz. A febre de secretamente acumular riquezas, em febre de acumular amor em segredo. Essa é a alquimia do Espírito, que sois chamados a praticar e ensinar.

Pregai Vida aos que estão morrendo; e aos que estão vivendo, pregai Morte. Mas aos que anseiam por vencer, pregai a libertação de ambas.

Vasta é a diferença entre "prender" e "ser preso". Prendeis somente o que amais. O que odiais vos prende. Evitai serdes presos.

Mais de uma terra está girando em seu curso através dos vácuos do Tempo e do Espaço. A vossa é a mais jovem da família, e um bebê muito vigoroso ela é!

Um movimento estático — que paradoxo! No entanto é esse o movimento dos mundos em Deus.

Olhai para os dedos das mãos se quiserdes saber como coisas desiguais podem ser iguais.

O Acaso é o brinquedo do sábio. Os tolos são os brinquedos do Acaso.

Nunca vos queixeis de coisa alguma. Queixar-se de alguma coisa é fazer dela um flagelo para o queixoso. Suportá-la bem é flagelá-la bem; mas compreendê-la é fazer dela uma serva fiel.

Muitas vezes sucede a um caçador que, mirando, digamos, uma corça, erra a corça e mata uma lebre de cuja presença estava totalmente desapercebido. Um caçador sábio, nesse caso, dirá: "Era realmente a lebre que eu havia mirado, e não a corça, e obtive minha presa".

Mirai bem, e qualquer resultado é um bom resultado.

O que vem a vós é vosso. O que demora a vir não merece ser esperado. Deixai-o esperar.

Jamais errareis um alvo, se o que mirais vos mira.

Um alvo que se erra é sempre um alvo atingido. Que vosso coração seja à prova de Decepções.

A Decepção é uma ave de rapina eclodida por corações flácidos e criada nas carcaças de suas esperanças abortadas.

Uma esperança realizada torna-se mãe de muitas esperanças natimortas. Cuidado ao dar o coração em casamento à Esperança, se não quiserdes que eles se convertam em cemitérios.

Um em cada cem ovos desovados por um peixe pode vir a frutificar. No entanto, os outros noventa e nove não são perdidos. A Natureza é tão pródiga e tão discriminadamente indiscriminada. Sede igualmente pródigos e discriminadamente indiscriminados em semear vosso coração e vossa mente no coração e na mente dos homens.

Não busqueis recompensa alguma por qualquer labor feito. O próprio labor é recompensa suficiente para o laborioso que ama seu labor.

Lembrai-vos do Verbo Criador e da Balança Perfeita. Quando houverdes atingido esse Equilíbrio, por meio da Sagrada Compreensão, só então vos tereis tornado vitoriosos, e então vossas mãos colaborarão com as mãos de Deus.

Possam a paz e a quietude desta noite vibrar em vós até que as afogueis na quietude e na paz da Sagrada Compreensão.

Assim ensinei eu a Noé.

Assim eu vos ensino.

CAPÍTULO XXXVI

O Dia da Arca e seus Rituais
A Mensagem do Príncipe de Bethar
a respeito da Lâmpada Viva

Naronda: Desde que o Mestre voltara de Bethar, Shamadam andava absorto e recluso. Ao aproximar-se, porém, o Dia da Arca, tornou-se dinâmico e vivaz, tomando a direção pessoal de todos os intrincados preparativos até nos mínimos detalhes.

Tal como o Dia da Vinha, o Dia da Arca havia sido estendido de um único dia para uma semana inteira de animadas festividades e enérgico comércio de toda sorte de posses.

Dos muitos rituais peculiares a esse Dia, os mais importantes são: a matança de um novilho para ser oferecido em sacrifício, o acendimento do fogo sacrificial e o acendimento, nesse fogo, da nova lâmpada que deve substituir a antiga no altar. Tudo isso é executado pelo Superior, com muita cerimônia, com o público assistindo, e terminando com cada um acendendo uma vela na nova lâmpada, velas essas que são depois apagadas e zelosamente conservadas como talismãs contra os maus espíritos. No fim das cerimônias, é costume o Superior fazer uma oração.

Os peregrinos do Dia da Arca, tal como os do Dia da Vinha, raramente vêm sem presentes e donativos de um tipo ou de outro. A maioria, porém, traz novilhos, carneiros e bodes, ostensivamente para serem sacrificados com o novilho oferecido pela Arca, mas que, em realidade, destinam-se a aumentar o rebanho da Arca, e não a serem abatidos.

A nova lâmpada é, em geral, presenteada por algum príncipe ou magnata das Montanhas Alvas. E, como é considerado uma grande honra e um privilégio fazer esse presente, e como os concorrentes são muitos, estabeleceu-se o costume de se fazer a escolha, todos os anos, por sorteio, executado no encerramento das festividades do ano precedente. Os príncipes e magnatas rivalizam-se em zelo e devoção, cada qual desejando que sua lâmpada exceda todas as precedentes em brilho, custo, beleza de desenho e arte.

A sorte para a lâmpada desse ano foi tirada pelo príncipe de Bethar. E todos aguardavam para contemplar o novo tesouro, pois o príncipe era famoso por sua generosa riqueza, bem como por seu fervor para com a Arca.

Na véspera desse dia, Shamadam chamou-nos, bem como ao Mestre, à sua cela, e disse-nos o que segue, dirigindo-se mais ao Mestre do que ao resto:

Shamadam: Amanhã é um dia santo, e cabe a nós conservá-lo santo.

Sejam quais forem as querelas do passado, vamos enterrá-las aqui e agora. A Arca não deve ser obrigada a relaxar seu progresso nem a abater seu ardor. E Deus nos livre de que ela venha, um dia, tropeçar.

Eu sou o Superior desta Arca. Meu é o oneroso dever de comandar. Fui investido do direito de traçar-lhe o curso. Esse dever e esse direito foram-me conferidos por sucessão, como certamente o serão a um de vós quando eu tiver morrido e desaparecido. Assim como esperei minha vez, esperai a vossa.

Se tratei injustamente Mirdad, que ele perdoe minha injúria.

MIRDAD: Não injuriaste Mirdad, mas injuriaste gravemente Shamadam.

Shamadam: E não é Shamadam livre para injuriar Shamadam?

MIRDAD: Livre para injuriar? Quão incongruentes são por si só essas palavras! Porque injuriar, mesmo que seja a si mesmo, é tornar-se escravo da própria injúria. Ao passo que injuriar outrem é tornar-se escravo do escravo. Ah, pesado é o peso da injúria!

Shamadam: E se estou disposto a suportar minha injúria, a ti que te importa?

MIRDAD: Diria um dente adoentado à boca: "Que te importa minha dor, se estou disposto a aturá-la?"

Shamadam: Ah, deixa-me. Deixa-me. Afasta de mim tua mão pesada e não me flageles com tua língua esperta. Deixa-me viver o saldo de meus dias como tenho vivido e labutado até agora. Vai e constrói tua arca em qualquer outro lugar, mas deixa esta Arca em paz. O mundo é bastante grande para ti e para mim, para tua arca e para a minha. Amanhã é *meu* dia. Fica de fora e deixa-me executar meu trabalho, pois não vou tolerar a interferência da parte de nenhum de vós.

Tende cuidado. A vingança de Shamadam é tão terrível quanto a de Deus. Tende cuidado. Tende cuidado.

Naronda: Quando saímos da cela do Superior, o Mestre sacudiu suavemente a cabeça e disse:

MIRDAD: O coração de Shamadam continua o coração de Shamadam.

Naronda: No dia seguinte, para alegria de Shamadam, as cerimônias foram executadas pontualmente e sem quaisquer incidentes adversos, até o momento em que a nova lâmpada deveria ser apresentada e acesa.

Nesse momento, um homem muito alto e imponente, vestido de branco, foi acotovelando-se, com dificuldade, por entre a densa multidão e dirigindo-se ao altar. Em um instante, passou de boca em boca um sussurro de que o homem era um emissário pessoal do príncipe de Bethar, carregando a nova lâmpada, e todos estavam ansiosos para deitar os olhos no precioso tesouro.

Shamadam curvou-se bem baixo diante do mensageiro, acreditando como os demais que ele carregava o precioso presente para o novo ano. Mas o homem, tendo dito algo em voz baixa a Shamadam, tirou do bolso um pergaminho e, depois de explicar que era uma mensagem do príncipe de Bethar, que ele foi encarregado de apresentar pessoalmente, começou a ler:

"Do ex-príncipe de Bethar a todos os seus semelhantes das Montanhas Alvas, reunidos, neste dia, na Arca — paz e amor fraternal.

De minha fervorosa devoção à Arca todos vós sois testemunhas vivas. Como a honra de presentear a lâmpada, para este ano, coube a mim, não poupei inteligência nem riqueza para que meu presente fosse digno da Arca, e meus esforços foram recompensados. Porque a lâmpada que minha riqueza e a habilidade de meus artesãos tinham finalmente elaborado era uma verdadeira maravilha de se ver.

Deus, porém, foi paciente e bondoso e não quis que eu expusesse minha pobreza infeliz, visto que me guiou desde então a uma lâmpada cuja luz é ofuscante e inextinguível, cuja beleza é insuperável e imaculável. Ao contemplar essa lâmpada, envergonhei-me por ter algum dia pensado que minha lâmpada tivesse qualquer valor. Consignei-a, pois, ao monte de lixo.

E é essa lâmpada viva, não elaborada por mãos, que eu, com toda a seriedade, recomendo a todos vós. Deleitem nela vossos olhos e nela acendei vossas velas. Vede, ela está a vosso alcance. O nome dela é MIRDAD.

Possais ser dignos de sua luz."

Mal havia o mensageiro pronunciado as últimas palavras quando Shamadam, que estivera de pé a seu lado, subitamente desvaneceu como se fosse um espectro. O nome do Mestre correu pela imensa assembleia como uma rajada de poderoso vento através de uma floresta virgem. Todos desejavam ver a lâmpada viva, da qual o príncipe de Bethar falara tão incitadoramente em sua mensagem.

Dentro em pouco, viu-se o Mestre subir os degraus do altar e defrontar a multidão e, instantaneamente, aquela avolumada massa humana tornou-se um só homem, atenta, ansiosa e alerta. Então o Mestre falou, e disse:

CAPÍTULO XXXVII

O Mestre adverte a Multidão sobre o Dilúvio de Fogo e Sangue, aponta o Caminho de Fuga e lança sua Arca

MIRDAD: Que buscais de Mirdad? Uma lâmpada de ouro, cravejada de joias para decorar o altar? Mas Mirdad não é ourives nem joalheiro, embora seja um farol e um refúgio.

Ou buscais talismãs para guardar-vos do mau-olhado? Sim, talismãs, Mirdad os tem em quantidade, porém de outra espécie.

Ou procurais luz para que possais caminhar em segurança, cada um no caminho que lhe foi indicado? Em realidade, isso é muito estranho! Tendes o sol, a lua, as estrelas, e ainda temeis tropeçar e cair? Então vossos olhos são inadequados a servir-vos de guia; ou a luz é escassa demais para vossos olhos. E qual de vós poderia viver sem os olhos? Quem acusaria o sol de ser avarento?

De que vale o olho que impede o pé de tropeçar no caminho, mas que deixa o coração tropeçar e sangrar ao tatear inutilmente em busca de um caminho?

De que vale a luz que inunda o olho, mas deixa o espírito vazio e sem iluminação?

Que buscais de Mirdad? Se for ver corações e espíritos banhados na luz que desejais, e pela qual clamais, então verdadeiramente não clamais em vão. Porque o espírito e o coração do homem concernem a mim.

Que trouxestes como oferenda neste Dia, que é um dia de glorioso triunfar? Trouxestes bodes, e carneiros, e novilhos? Que ínfimo preço quereis pagar por vossa libertação! Ou melhor, como é barata a libertação que gostaríeis de comprar.

Não seria glória alguma para um homem vencer um bode. E é, verdadeiramente, grande desgraça para qualquer homem oferecer a vida de um pobre bode para redenção da sua.

Que tendes vós feito para participar do espírito deste Dia, que é um dia de Fé desabrochada e amor supremamente justificado?

Sim, certamente, tendes praticado uma multiplicidade de rituais e murmurado muitas preces; mas a dúvida acompanhou cada movimento vosso, e o ódio disse "Amém" para cada prece.

Não estais aqui para celebrar a conquista do Dilúvio? Como celebrais uma vitória que vos deixou vencidos? Porque ao submeter suas próprias profundezas, Noé não submeteu as vossas profundezas, mas somente apontou o caminho. E vede, vossas profundezas estão cheias de raiva e ameaçam naufragar-vos. Enquanto não triunfardes sobre vosso dilúvio, não sereis merecedores deste Dia.

Cada um de vós é um dilúvio, uma arca e um comandante. Até que alcanceis o dia em que possais desembarcar em terra virgem e recém-lavada, não tenhais pressa de celebrar vitória.

Deveríeis saber como foi que o homem se tornou um dilúvio para si próprio.

Quando a Sagrada Onivontade partiu Adão em dois para que ele conhecesse a si mesmo e compreendesse sua unicidade com o Uno, então ele se tornou um macho e uma fêmea — um Adão-*masculino* e um Adão-*feminino*. Ele teve, então, um dilúvio de desejos, que são os frutos da Dualidade — desejos tão numerosos, tão infinitos em matizes, tão imensos em magnitude, tão pródigos e tão prolíficos, que até hoje o homem é um extraviado sobre suas ondas. Mal uma onda o levanta a vertiginosas alturas, já outra o arrasta para o fundo. Isso porque seus desejos são aos pares, como ele também é um par. E embora dois opostos, em realidade, apenas se complementem um ao outro, para o ignorante eles parecem atracar-se, golpear-se e jamais desejarem declarar um só momento de trégua.

Esse é o dilúvio que o Homem é chamado a enfrentar, hora após hora, dia após dia, durante sua muito longa e árdua vida dual.

Esse é o dilúvio cujas poderosas fontes jorram do coração e vos arrastam em sua correnteza.

Esse é o dilúvio cujo arco-íris não agraciará vosso céu até que vosso céu se case com vossa terra e se tornem um.

Desde que Adão semeou a si próprio em Eva, os homens têm colhido furacões e dilúvios. Quando predominam paixões dessa espécie, a vida do homem sai do equilíbrio, e os homens são engolfados por um ou outro dilúvio para que o equilíbrio seja restabelecido. E o equilíbrio não se ajustará até que o homem tenha aprendido a amassar todos os seus desejos na amassadeira do Amor e a assar, com eles, o pão da Sagrada Compreensão.

O dilúvio que cobriu a Terra nos dias de Noé não foi o primeiro nem o último que a humanidade conheceu. Somente foi o que deixou um elevado marco na longa sucessão de dilúvios devastadores. O dilúvio de fogo e sangue que em breve irromperá sobre a Terra certamente ultrapassará esse marco. Estais preparados para flutuar, ou sereis submergidos?

Ai de vós que estais muito ocupados adicionando pesos sobre pesos; muito ocupados entorpecendo o sangue com prazeres abundantes de dor; muito ocupados mapeando estradas que não vos levam a parte alguma; demasiado ocupados escolhendo sementes no jardim do fundo dos armazéns da Vida, sem ao menos espiar pelo buraco da fechadura. Como não sereis tragados, ó meus extraviados?

Vós, nascidos para voar as grandes alturas, para vagar pelo espaço ilimitado, para abraçar o Universo com vossas asas, engaiolastes a vós mesmos em gaiolas de cômodas convenções e crenças que vos cortam as asas, pioram vossa vista e petrificam vossos tendões. Como sobrepujareis o dilúvio vindouro, meus extraviados?

Vós, imagens e semelhanças de Deus, já quase apagastes a semelhança e a imagem. Vossa estatura divina diminuístes, a ponto de já não reconhecê-la. Vossa fisionomia divina untastes com lama e mascarastes com máscaras grotescas. Como enfrentareis o dilúvio que desencadeastes, meus extraviados?

A não ser que deis ouvidos a Mirdad, a Terra jamais será para vós mais do que tumba e o Céu, mais do que sudário. No entanto, um foi preparado para servir-vos de berço, e o outro, de trono.

Novamente, digo-vos: Sois o dilúvio, a arca e o comandante. Vossas paixões são o dilúvio. Vosso corpo é a arca.

Vossa fé, o comandante. Mas, vossa vontade tudo penetra. E pairando acima de tudo isso está vossa compreensão.

Certificai-vos de que a arca seja estanque e em boas condições de navegar; não desperdiceis, porém, vossa vida somente nisso, senão o dia de navegar nunca chegará, e, no fim, tanto vós como vossa arca apodrecereis e submergireis no mesmo lugar. Certificai-vos da competência e da calma do capitão. Mas, acima de tudo, aprendei a procurar as fontes dos dilúvios e treinai vossa vontade para secá-las, uma a uma. Então, certamente o dilúvio se abaterá e finalmente se exaurirá.

Queimai a paixão antes que ela vos queime.

Não olheis para dentro da boca da paixão para ver se ela tem presas ou mandíbulas cobertas de mel. A abelha que recolhe o néctar das flores recolhe também seu veneno.

Nem investigueis a face de uma paixão para verificar se é aprazível aos olhos ou não. Para Eva, a face da Serpente era mais aprazível do que a face de Deus.

Não coloqueis uma paixão na balança para verificar-lhe o peso. Quem compararia o peso de um diadema com o de uma montanha? No entanto, o diadema realmente é de longe mais pesado do que a montanha.

E há paixões que cirandam canções celestiais durante o dia, mas silvam, mordem e dão ferroadas sob o pálio da noite; há paixões cevadas e sobrecarregadas de alegria que rapidamente se tornam esqueletos de tristeza; paixões de olhar suave e de conduta dócil que subitamente se tornam mais rapinantes do que lobos, mais traiçoeiras do que hienas; e paixões mais suaves do que uma rosa, conquanto permaneçam sozinhas, mas fedem pior do que carniças e gambás, tão logo são tocadas ou colhidas.

Não peneireis vossas paixões separando-as em boas e más, pois é labor perdido. O bem não pode subsistir sem o mal; o mal não pode lançar raízes senão no bem.

Uma só é a árvore do Bem e do Mal. Um só é o seu fruto. Não podeis conhecer o sabor do Bem sem conhecer, ao mesmo tempo, o sabor do Mal.

A papila da qual sugais o leite da Vida é a mesma que produz o leite da Morte. A mão que vos embala no berço é a mesma que cava vossa sepultura.

Essa é, meus extraviados, a natureza da Dualidade. Não sejais tão obstinados e vãos a ponto de tentar mudá-la. Não sejais tão tolos a ponto de tentar rachá-la em duas metades para ficardes com a que vos agrada e atirardes fora a outra.

Quereis tornar-vos mestres da Dualidade? Tratai-a como não sendo nem boa nem má.

Já não se tornou azedo em vossa boca o leite da Vida e da Morte? Já não é tempo de enxaguardes a boca com algo que não seja nem bom nem mau porque ultrapassa ambos? Já não é tempo de almejardes o fruto que não é doce nem amargo porque não cresce na árvore do Bem e do Mal?

Quereis libertar-vos das garras da Dualidade? Então arrancai sua árvore — a árvore do Bem e do Mal — de vosso coração. Sim, arrancai-a com raízes e renovos para que a semente da Vida Divina, a semente da Sagrada Compreensão, que está além de todo bem e de todo mal, possa germinar e brotar em seu lugar.

Sem alegria é a mensagem de Mirdad, direis. Rouba-nos a alegria de esperar pelo amanhã. Torna-nos testemunhas mudas e desinteressadas da vida, quando poderíamos ser contestadores vociferantes, pois é doce contestar, sejam quais forem as apostas em jogo. E é doce aventurar-se numa caça, apesar de a presa não ser mais do que um fogo-fátuo.

Assim dizeis no coração, esquecendo que vosso coração não é de modo algum vosso, enquanto paixões boas e más segurarem suas rédeas.

Para serdes mestres do coração, amassai todas as vossas paixões — boas e más — na única amassadeira do Amor para poderdes assá-las no forno da Sagrada Compreensão, em que toda a dualidade é unificada em Deus.

Cessai agora de perturbar um mundo já por demais perturbado.

Como esperais tirar água limpa de um poço onde incessantemente despejais toda sorte de lixo e de lama? Como podem as águas de uma lagoa ser claras e serenas se a todo momento as agitais?

Não tenteis tomar tragos de calma num mundo perturbado, para não tomardes tragos de Perturbação.

Não tenteis tomar tragos de amor em um mundo odioso, para não tomardes tragos de Ódio.

Não tenteis tomar tragos de vida em um mundo moribundo, para não tomardes tragos de Morte. O mundo não pode pagar-vos em outra moeda que não seja a sua, que é uma moeda de dupla face.

Porém, tomai tragos de vosso infinito ser-Deus, que é tão rico em pacífica Compreensão.

Não exijais do mundo o que não exigirdes de vós próprios. Nem exijais de homem algum o que não permitirdes que ele exija de vós.

O que é que, se vos fosse concedido pelo mundo todo, vos auxiliaria a vencer vosso dilúvio e a desembarcar em uma terra divorciada de dor e de morte e junta ao céu em Amor perpétuo e na paz da Compreensão? Seriam posses, poder, fama? Seriam autoridade, prestígio e respeito? Seriam a ambição coroada e a esperança satisfeita? Todas essas coisas são a nascente das fontes que nutrem vosso dilúvio. Fora com isso tudo, meus extraviados, fora, fora!

Sede serenos para serdes claros.

Sede claros para que possais ver claramente o mundo.

Quando virdes claramente através do mundo, então sabereis quão pobre e impotente ele é para dar-vos o que procurais de liberdade, paz e vida.

Tudo o que o mundo vos pode dar é um corpo — uma arca na qual navegar o mar da vida dual. E isso não deveis a homem algum neste mundo. O Universo tem como destino o dever de vo-la fornecer e sustentar. Mantê-la equilibrada e estanque para enfrentar o dilúvio, tão equilibrada e estanque como a arca de Noé; prender nela as bestas e mantê-las bem controladas, tal como Noé prendeu suas bestas e as controlou perfeitamente — esse é vosso dever, e somente vosso.

Ter uma fé de olhos brilhantes e amplamente desperta para colocá-la ao leme, uma fé inabalável na Onivontade que é o vosso guia para os bem-aventurados portais do Éden — esse é vosso trabalho, e somente vosso.

Ter uma vontade intrépida como comandante, uma vontade de vencer e de participar da Árvore da Vida da Sagrada Compreensão — esse é também vosso trabalho, e somente vosso.

Destinado a Deus é o Homem. Nenhum destino aquém é merecedor de sua dor. E se o caminho for longo e salpicado de borrascas e vendavais? A Fé que tem coração puro e olhos aguçados não excederá em sabedoria as borrascas e domará os vendavais?

Apressai-vos. O tempo entregue ao ócio é um tempo infestado de dor. E os homens, mesmo os mais ocupados, são, na verdade, ociosos.

Todos vós sois construtores navais. E sois todos marinheiros. Essa é a tarefa que vos foi designada desde a eternidade para que possais navegar o ilimitado oceano que sois vós próprios e, aí, encontrar a harmonia inefável de ser, cujo nome é Deus.

Todas as coisas precisam ter um centro do qual irradiar e à volta do qual girar.

Se a vida — a vida do Homem — é um círculo, e o encontrar a Deus for, disso, o centro, então todo o vosso trabalho deve ser concêntrico em relação a esse centro, ou será ócio, embora encharcado em suor carmesim.

Mas como levar o Homem a seu destino é a tarefa de Mirdad, vede! Mirdad preparou-vos uma arca maravilhosa, uma arca bem construída e bem comandada. Não uma arca de madeira de gofer e betume, nem uma arca para corvos, lagartos e hienas, mas uma Arca de Sagrada Compreensão que realmente será um farol para todos os que anseiam vencer. Seu lastro não será de jarros de vinho e prensas, mas de corações repletos de amor por tudo e por todos. Nem sua carga será de terras e bens pessoais, de prata, ouro e joias, mas de almas divorciadas de suas sombras e envolvidas no manto de luz e liberdade da Compreensão.

Que os que querem partir suas amarras que os prendem à Terra; e os que desejam ser unificados; e os que anseiam por vencer a si mesmos — venham a bordo.

A Arca está pronta.

O vento está favorável.

O mar está calmo.

Assim ensinei eu a Noé.

Assim eu agora vos ensino.

Naronda: Quando o Mestre parou, um sussurro correu pela assembleia, que até então estivera imóvel, como se houvesse suspendido a respiração durante toda a fala do Mestre.

Antes de descer os degraus do altar, o Mestre chamou os Sete, pediu a harpa e, com a ajuda deles, começou a cantar o hino da Nova Arca. A multidão logo aprendeu a melodia e, como uma onda poderosa, inflou em direção aos céus o doce refrão:

Deus é teu capitão, navega, minha Arca!

*Aqui termina a parte do
Livro que me é permitido
publicar para o mundo.
Quanto ao restante,
sua hora ainda
não chegou.
M.N.*

Livros publicados por Pentagrama Publicações

obras de J. van Rijckenborgh
- Análise esotérica do testamento espiritual da Ordem da Rosa-Cruz
  - Vol. I: O chamado da Fraternidade da Rosa-Cruz
  - Vol. II: Confessio da Fraternidade da Rosacruz
  - Vol. III: As núpcias alquímicas de Christian Rosenkreuz · Tomo 1
  - Vol. IV: As núpcias alquímicas de Christian Rosenkreuz · Tomo 2
- Christianopolis
- Filosofia elementar da Rosacruz moderna
- A Gnose em sua atual manifestação
- A luz do mundo
- O mistério da vida e da morte
- O mistério das bem-aventuranças
- O mistério iniciático cristão: Dei Gloria Intacta
- Os mistérios gnósticos da Pistis Sophia
- O novo homem
- Não há espaço vazio
- Um novo chamado
- O Nuctemeron de Apolônio de Tiana
- O remédio universal

Catharose de Petri
- O Verbo Vivente
- Série das Rosas
- Transfiguração · Tomo I
- O selo da renovação · Tomo II
- Sete vozes falam · Tomo III
- A Rosacruz Áurea · Tomo IV
- A tríplice aliança da luz

Catharose de Petri e J. van Rijckenborgh
- O apocalipse da nova era
  - A veste-de-luz do novo homem · Série Apocalipse, vol. I
  - A Fraternidade Mundial da Rosa-Cruz · Série Apocalipse, vol. II
  - Os sinais poderosos do conselho de Deus · Série Apocalipse, vol. III
  - A senda libertadora da Rosa-Cruz · Série Apocalipse, vol. IV
  - O novo caduceu de Mercúrio · Série Apocalipse, vol. V
- O caminho universal
- A Fraternidade de Shamballa
- A Gnosis chinesa
- A Gnosis universal
- A grande revolução
- O novo sinal
- Réveille!

Eckartshausen	• Algumas palavras do mais profundo do ser • Das forças mágicas da natureza
Mikhail Naimy	• O livro de Mirdad
A. Gadal	• No caminho do Santo Graal • O triunfo da Gnosis Universal
Francisco Casanueva Freijo	• Iniciação. Iluminação. Libertação. • Transfiguração e transformação: O processo de surgimento
J.A. Comenius	• O único necessário
Série Renovação	• Os sete Raios do Espírito e a transformação da vida humana • Saúde e Espiritualidade – A Cura
Série Cristal	1. Do castigo da alma 2. Os animais dos mistérios 3. O conhecimento que ilumina 4. O livro secreto de João 5. Gnosis, religião interior 6. Rosa-cruzes, ontem e hoje 7. Jacob Boehme, pensamentos 8. Paracelso, sua filosofia e sua medicina atemporais 9. O Graal e a Rosacruz 10. A Rosa e a Cabala 11. O Evangelho da Verdade e o Evangelho de Maria
Outros títulos	• O caminho da Rosa-Cruz no dias atuais • O evangelho dos doze santos • João Ultimonascido • Histórias do Roseiral

Pentagrama publicações

Para conhecer-nos melhor, acesse o site:
www.pentagrama.org.br
Caixa Postal 39 – 13.240-000 – Jarinu – SP – Brasil
livros@pentagrama.org.br

Impressão e Acabamento:
EXPRESSÃO & ARTE
EDITORA E GRÁFICA
www.graficaexpressaoearte.com.br